Georg Büchner

Woyzeck
Leonce und Lena

Herausgegeben von
Burghard Dedner

Philipp Reclam jun. Stuttgart

Erläuterungen und Dokumente zu Büchners *Woyzeck* liegen unter Nr. 16013 in Reclams Universal-Bibliothek vor; eine Interpretation von *Woyzeck* und von *Leonce und Lena* ist enthalten in dem Band *Georg Büchner* der Reihe »Interpretationen« (Universal-Bibliothek, Nr. 8415). Zu *Leonce und Lena* liegen in Reclams Universal-Bibliothek Erläuterungen und Dokumente (Nr. 16049) sowie ein »Lektüreschlüssel für Schüler« (Nr. 15319) vor.

RECLAMS UNIVERSAL-BIBLIOTHEK Nr. 18420

Gesamtherstellung: Reclam, Ditzingen. Printed in Germany 2007

ISBN 978-3-15-018420-2

www.reclam.de

Büchner

Woyzeck
Leonce und Lena

Woyzeck

* *Personenverzeichnis vom Herausgeber.*
Der Dramentext in Antiqua *folgt der letzten überlieferten Handschrift H 4 (vgl. Nachwort S. 82f.), der etwas kleiner gesetzte Text in* Grotesk *ist aus den früheren Entwürfen ergänzt; Namen* (Marie *und* Franz Woyzeck) *sowie Figurenbezeichnungen* (Tambourmajor) *der Hauptpersonen wurden nach Maßgabe von H 4 vereinheitlicht und erscheinen ggf. auch in* Antiqua.
⟨ ⟩ = *Herausgebertext.*
+++ = *unleserliche Buchstaben.*

⟨ Personen

Franz Woyzeck
Marie Zickwolf
Christian, ihr Kind,
etwa einjährig
Hauptmann
Doctor
Tambourmajor
Unterofficier
Andres
Margreth
Marktschreier, Ausrufer
einer Bude
Alter Mann
Tanzendes Kind
Erster Handwerksbursch
Zweiter Handwerksbursch
Narr Karl
Der Jude
Großmutter
Erstes Kind
Zweites Kind
Erste Person
Zweite Person
Wirt
Käthe
Gerichtsdiener
Barbier
Arzt
Richter
Polizeidiener

Soldaten, Handwerksburschen, Leute, Mädchen
und Kinder ⟩*

1. Szene

⟨= H 4,1⟩

Freies Feld. Die Stadt in der Ferne.

Woyzeck und Andres schneiden Stöcke im Gebüsch.

WOYZECK. Ja Andres; den Streif da über das Gras hin, da rollt abends der Kopf, es hob ihn einmal einer auf, er meint es wär' ein Igel. Drei Tag und drei Nächt und er lag auf den Hobelspänen (leise) Andres, das waren die Freimaurer, ich hab's, die Freimaurer, still!

ANDRES (singt).

Saßen dort zwei Hasen
Fraßen ab das grüne, grüne Gras

WOYZECK. Still! Es geht was!

ANDRES.

Fraßen ab das grüne, grüne Gras
Bis auf den Rasen.

WOYZECK. Es geht hinter mir, unter mir (stampft auf den Boden) hohl, hörst du? Alles hohl da unten. Die Freimaurer!

ANDRES. Ich fürcht mich.

WOYZECK. 's ist so kurios still. Man möcht' den Atem halten. Andres!

ANDRES. Was?

WOYZECK. Red was! (Starrt in die Gegend.) Andres! Wie hell! Ein Feuer fährt um den Himmel und ein Getös herunter wie Posaunen. Wie's heraufzieht! Fort. Sieh nicht hinter dich (reißt ihn ins Gebüsch).

ANDRES (nach einer Pause). Woyzeck! hörst du's noch?

WOYZECK. Still, alles still, als wär die Welt tot.

ANDRES. Hörst du? Sie trommeln drin. Wir müssen fort.

2. Szene
⟨= *H 4,2*⟩

Marie (mit ihrem Kind am Fenster). Margreth.

Der Zapfenstreich geht vorbei, der Tambourmajor voran.

MARIE (das Kind wippend auf dem Arm). He Bub! Sa ra ra ra! Hörst? Da kommen sie
MARGRETH. Was ein Mann, wie ein Baum.
MARIE. Er steht auf seinen Füßen wie ein Löw.

(Tambourmajor grüßt.)

MARGRETH. Ei, was freundliche Auge, Frau Nachbarin, so was is man an ihr nit gewöhnt.
MARIE (singt).

Soldaten, das sind schöne Bursch

⟨ *Arbeitslücke von ein bis zwei Leerzeilen* ⟩

MARGRETH. Ihre Auge glänze ja noch.
MARIE. Und wenn! Trag sie ihr Auge zum Jud und lass sie sie putze, vielleicht glänze sie noch, dass man sie für zwei Knöpf verkaufe könnt.
MARGRETH. Was Sie? Sie? Frau Jungfer, ich bin eine honette Person, aber sie, sie guckt sieben Paar lederne Hose durch.
MARIE. Luder! (Schlägt das Fenster ⟨zu⟩.) Komm mein Bub. Was die Leut wollen. Bist doch nur en arm Hurenkind und machst deiner Mutter Freud mit deim unehrliche Gesicht. Sa! Sa! (Singt.)

Mädel, was fangst du jetzt an
Hast ein klein Kind und kein Mann
Ei was frag ich danach
Sing ich die ganze Nacht
Heio popeio mein Bu. Juchhe!
Gibt mir kein Mensch nix dazu.

Hansel spann deine sechs Schimmel an
Gib ihn zu fresse aufs neu
Kein Haber fresse sie
Kein Wasser saufe sie
Lauter kühle Wein muss es sein Juchhe
Lauter kühle Wein muss es sein.

(Es klopft am Fenster.)

MARIE. Wer da? Bist du's Franz? Komm herein!

WOYZECK. Kann nit. Muss zum Verles.

MARIE. Was hast du Franz?

WOYZECK (geheimnisvoll). Marie, es war wieder was, viel, steht nicht geschrieben, und sieh da ging ein Rauch vom Land, wie der Rauch vom Ofen?

MARIE. Mann!

WOYZECK. Es ist hinter mir gegangen bis vor die Stadt. Was soll das werden?

MARIE. Franz!

WOYZECK. Ich muss fort (er geht).

MARIE. Der Mann! So vergeistert. Er hat sein Kind nicht angesehn. Er schnappt noch über mit den Gedanken. Was bist so still, Bub? Furchst' Dich? Es wird so dunkel, man meint, man wär blind. Sonst scheint doch als die Latern herein. Ich halt's nicht aus. Es schauert mich (geht ab).

3. Szene

⟨= *H 1,1 und H 1,2 sowie H 2,3 und H 2,5*⟩

Buden. Lichter. Volk.

ALTER MANN. KIND DAS TANZT:

Auf der Welt ist kein Bestand
Wir müssen alle sterben, das ist uns wohlbekannt!

⟨WOYZECK.⟩ He! Hopsa! Armer Mann, alter Mann! Armes Kind! Junges Kind! ++++ und ++st! Hei Marie, soll ich dich tragen? Ein Mensch muss noch d. +++ vo+ ++d+, damit er essen kann. ++++ Welt! Schöne Welt!

AUSRUFER, an einer Bude: Meine Herren, meine Damen, ist zu sehn das astronomische Pferd und die feinen Kanaillevögele, sind Liebling von allen Potentaten Europas und Mitglied von allen gelehrten Societäten; weissagen den Leuten alles, wie alt, wie viel Kinder, was für Krankheit, schießt Pistol los, stellt sich auf ein Bein. Alles Erziehung, haben eine viehische Vernunft, oder vielmehr eine ganze vernünftige Viehigkeit, ist kein viehdummes Individuum wie viele Personen, das verehrliche Publikum abgerechnet. Es wird sein, die Rapresentation, das commencement vom commencement wird sogleich nehm sein Anfang.

Meine Herren! Meine Herren! Sehn sie die Kreatur, wie sie Gott gemacht, nix, gar nix. Sehen Sie jetzt die Kunst, geht aufrecht hat Rock und Hosen, hat ein Säbel! Ho! Mach Kompliment! So bist baron. Gib Kuss! (Er trompetet.) Michel ist musikalisch.

Sehn Sie die Fortschritte der Civilisation. Alles schreitet fort, ein Pferd, ein Aff, ein Canaillevogel. Der Aff' ist schon ein Soldat, 's ist noch nit viel, unterst Stuf von menschliche Geschlecht!

Die Rapräsentation anfangen! Man mackt Anfang von Anfang. Es wird sogleich sein das Commencement von Commencement.

WOYZECK. Willst du?

MARIE. Meinetwegen. Das muss schön Dings sein. Was der Mensch Quasten hat und die Frau hat Hosen.

Unterofficier. Tambourmajor.

⟨UNTEROFFICIER.⟩ Halt, jetzt. Siehst du sie! Was ein Weibsbild.

TAMBOURMAJOR. Teufel zum Fortpflanzen von Kürassierregimentern und zur Zucht von Tambourmajors.

UNTEROFFICIER. Wie sie den Kopf trägt, man meint das schwarze Haar müsse ihn abwärts ziehn, wie ein Gewicht, und Augen, schwarz

TAMBOURMAJOR. Als ob man in einen Ziehbrunnen oder zu einem Schornstein hinunterguckt. Fort hinterdrein.

MARIE. Was Lichter,

WOYZECK. Ja d++ Bou+, eine große schwarze Katze mit feurigen Augen. Hei, was ein Abend.

Das Innere der Bude.

MARKTSCHREIER. Zeig' dein Talent! zeig deine viehische Vernünftigkeit! Beschäme die menschliche Societät! Meine Herren dies Tier, wie sie da sehn, Schwanz am Leib, auf seinen vier Hufen ist Mitglied von allen gelehrten Societäten, ist Professor an mehren Universitäten wo die Studenten bei ihm reiten und schlagen lernen. Das war einfacher Verstand! Denk jetzt mit der doppelten Raison. Was machst du wann du mit der doppelten Räson denkst? Ist unter der gelehrten Société da ein Esel? (Der Gaul schüttelt den Kopf.) Sehn sie jetzt die doppelte Räson! Das ist Viehsionomik. Ja das ist kein viehdummes Individuum, das ist eine Person! Ein Mensch, ein tierischer Mensch und doch ein Vieh, eine Bête (das Pferd führt sich ungebührlich auf). So beschäme die Société! Sehn sie das Vieh ist noch Natur unverdorbne Natur! Lernen Sie bei ihm. Fragen sie den Arzt es ist höchst schädlich! Das hat geheißen Mensch sei natürlich, du bist geschaffen Staub, Sand, Dreck. Willst du mehr sein, als Staub, Sand, Dreck? Sehn sie was Vernunft, es kann rechnen und kann doch nit an den Fingern herzählen, warum? Kann sich nur nit ausdrücken, nur nit explicieren, ist ein verwandter Mensch! Sag den Herren, wie viel Uhr es ist. Wer von den Herren und Damen hat eine Uhr, eine Uhr.

UNTEROFFICIER. Eine Uhr! (Zieht großartig und gemessen eine Uhr aus der Tasche.) Da mein Herr.

MARIE. Das muss ich sehn. (Sie klettert auf den ersten Platz. Unterofficier hilft ihr.)

4. Szene

⟨= *H 4,4*⟩

Marie sitzt, ihr Kind auf dem Schoß, ein Stückchen Spiegel in der Hand.

⟨MARIE⟩ (bespiegelt sich). Was die Steine glänze! Was sind's für? Was hat er gesagt? – Schlaf Bub! Drück die Auge zu, fest (das Kind versteckt die Augen hinter den Händen), noch fester, bleib so, still oder er holt dich. (Singt.)

Mädel mach's Ladel zu
's kommt e Zigeunerbu
Führt dich an deiner Hand
Fort ins Zigeunerland.

(Spiegelt sich wieder.) 's ist gewiss Gold! Unsereins hat nur ein Eckchen in der Welt und ein Stückchen Spiegel und doch hab' ich einen so roten Mund als die großen Madamen mit ihren Spiegeln von oben bis unten und ihren schönen Herrn, die ihnen die Händ' küssen; ich bin nur ein arm Weibsbild. – (Das Kind richtet sich auf.) Still Bub, die Auge zu, das Schlafengelchen! wie's an der Wand läuft (sie blinkt mit dem Glas) die Auge zu, oder es sieht dir hinein, dass du blind wirst.

(Woyzeck tritt herein, hinter sie. Sie fährt auf mit den Händen nach den Ohren.)

WOYZECK. Was hast du?
MARIE. Nix.
WOYZECK. Unter deinen Fingern glänzt's ja.
MARIE. Ein Ohrringlein; hab's gefunden.
WOYZECK. Ich hab' so noch nix gefunden, zwei auf einmal.

MARIE. Bin ich ein Mensch?

WOYZECK. 's ist gut, Marie. – Was der Bub schläft. Greif' ihm unters Ärmchen der Stuhl drückt ihn. Die hellen Tropfen steh'n ihm auf der Stirn; alles Arbeit unter der Sonn, sogar Schweiß im Schlaf. Wir arme Leut! Das is wieder Geld Marie, die Löhnung und was von mein'm Hauptmann.

MARIE. Gott vergelt's Franz.

WOYZECK. Ich muss fort. Heut Abend, Marie. Adies.

MARIE (allein nach einer Pause). Ich bin doch ein schlecht Mensch. Ich könnt' mich erstechen. – Ach! Was Welt? Geht doch alles zum Teufel, Mann und Weib.

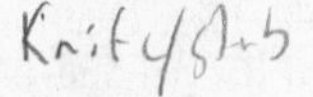

5. Szene

⟨= *H 4,5*⟩

Der Hauptmann. Woyzeck.

Hauptmann auf einem Stuhl, Woyzeck rasiert ihn.

HAUPTMANN. Langsam, Woyzeck, langsam; ein's nach dem andern; Er macht mir ganz schwindlich. Was soll ich dann mit den zehn Minuten anfangen, die er heut zu früh fertig wird? Woyzeck, bedenk' er, er hat noch seine schöne dreißig Jahr zu leben, dreißig Jahr! macht 360 Monate, und Tage, Stunden, Minuten! Was will er denn mit der ungeheuren Zeit all anfangen? Teil er sich ein, Woyzeck.

WOYZECK. Ja wohl, Herr Hauptmann.

HAUPTMANN. Es wird mir ganz angst um die Welt, wenn ich an die Ewigkeit denke. Beschäftigung, Woyzeck, Beschäftigung! ewig das ist ewig, das ist ewig, das siehst du ein; nun ist es aber wieder nicht ewig und das ist ein Augenblick, ja, ein Augenblick – Woyzeck, es schaudert mich, wenn ich denk, dass sich die Welt in einem Tag herumdreht, was eine Zeitverschwendung, wo soll das hinaus? Woyzeck, ich kann kein Mühlrad mehr sehn, oder ich werd' melancholisch.

WOYZECK. Ja wohl, Herr Hauptmann.

HAUPTMANN. Woyzeck er sieht immer so verhetzt aus, ein guter Mensch tut das nicht, ein guter Mensch, der sein gutes Gewissen hat. – Red' er doch was Woyzeck. Was ist heut für Wetter?

WOYZECK. Schlimm, Herr Hauptmann, schlimm; Wind.

HAUPTMANN. Ich spür's schon, 's ist so was Geschwindes draußen; so ein Wind macht mir den Effekt wie eine Maus. (Pfiffig.) Ich glaub' wir haben so was aus Süd-Nord.

WOYZECK. Ja wohl, Herr Hauptmann.

HAUPTMANN. Ha! ha! ha! Süd-Nord! Ha! Ha! Ha! O er ist dumm, ganz abscheulich dumm. (Gerührt.) Woyzeck, er ist ein guter Mensch, ein guter Mensch – aber (mit Würde) Woyzeck, er hat keine Moral! Moral das ist wenn man moralisch ist, versteht er. Es ist ein gutes Wort. Er hat ein Kind, ohne den Segen der Kirche, wie unser hochehrwürdiger Herr Garnisonsprediger sagt, ohne den Segen der Kirche, es ist nicht von mir.

WOYZECK. Herr Hauptmann, der liebe Gott wird den armen Wurm nicht drum ansehn, ob das Amen drüber gesagt ist, eh' er gemacht wurde. Der Herr sprach: lasset die Kindlein zu mir kommen.

HAUPTMANN. Was sagt er da? Was ist das für 'ne kuriose Antwort? Er macht mich ganz confus mit seiner Antwort. Wenn ich sag: *er*, so mein ich ihn, ihn.

WOYZECK. Wir arme Leut. Sehn sie, Herr Hauptmann, Geld, Geld. Wer kein Geld hat. Da setz einmal einer sein'sgleichen auf die Moral in die Welt. Man hat auch sein Fleisch und Blut. Unsereins ist doch einmal unselig in der und der andern Welt, ich glaub' wenn wir in Himmel kämen, so müssten wir donnern helfen.

HAUPTMANN. Woyzeck er hat keine Tugend, er ist kein tugendhafter Mensch. Fleisch und Blut? Wenn ich am

Fenster lieg, wenn es geregnet hat und den weißen Strümpfen so nachsehe, wie sie über die Gassen springen, – verdammt Woyzeck, – da kommt mir die Liebe. Ich hab auch Fleisch und Blut. Aber Woyzeck, die Tugend, die Tugend! Wie sollte ich dann die Zeit herumbringen? ich sag' mir immer du bist ein tugendhafter Mensch, (gerührt) ein guter Mensch, ein guter Mensch.

WOYZECK. Ja Herr Hauptmann, die Tugend! ich hab's noch nicht so aus. Sehn Sie wir gemeinen Leut, das hat keine Tugend, es kommt einem nur so die Natur, aber wenn ich ein Herr wär und hätt ein Hut und eine Uhr und en Anglaise und könnt vornehm reden, ich wollt schon tugendhaft sein. Es muss was Schöns sein um die Tugend, Herr Hauptmann. Aber ich bin ein armer Kerl.

HAUPTMANN. Gut Woyzeck. Du bist ein guter Mensch, ein guter Mensch. Aber du denkst zu viel, das zehrt, du siehst immer so verhetzt aus. Der Diskurs hat mich ganz angegriffen. Geh' jetzt und renn nicht so; langsam hübsch langsam die Straße hinunter.

6. Szene

⟨= *H 4,6*⟩

Marie. Tambourmajor.

TAMBOURMAJOR. Marie!

MARIE (ihn ansehend, mit Ausdruck). Geh' einmal vor dich hin. – Über die Brust wie ein Stier und ein Bart wie ein Löw .. So ist keiner .. Ich bin stolz vor allen Weibern.

TAMBOURMAJOR. Wenn ich am Sonntag erst den großen Federbusch hab' und die weißen Handschuh, Donnerwetter, Marie, der Prinz sagt immer: Mensch, er ist ein Kerl.

MARIE (spöttisch). Ach was! (Tritt vor ihn hin.) Mann!

TAMBOURMAJOR. Und du bist auch ein Weibsbild, Sapperment, wir wollen eine Zucht von Tambourmajors anlegen. He? (Er umfasst sie.)

MARIE (verstimmt). Lass mich!

TAMBOURMAJOR. Wild Tier.

MARIE (heftig). Rühr mich an!

TAMBOURMAJOR. Sieht dir der Teufel aus den Augen?

MARIE. Meinetwegen. Es ist alles eins.

7. Szene

⟨= *H 4,7*⟩

Marie. Woyzeck.

FRANZ (sieht sie starr an, schüttelt den Kopf). Hm! Ich seh nichts, ich seh nichts. O, man müsst's sehen, man müsst's greifen können mit Fäusten.

MARIE (verschüchtert). Was hast du Franz? Du bist hirnwütig Franz.

FRANZ. Eine Sünde so dick und so breit. (Es stinkt dass man die Engelchen zum Himmel hinausräuchern könnt.) Du hast ein roten Mund, Marie. Keine Blase drauf? Adieu, Marie, du bist schön wie die Sünde – Kann die Todsünde so schön sein?

MARIE. Franz, du red'st im Fieber.

FRANZ. Teufel! – Hat er da gestanden, so, so?

MARIE. Dieweil der Tag lang und die Welt alt ist, können viel Menschen an einem Platz stehn, einer nach dem andern.

WOYZECK. Ich hab ihn gesehn.

MARIE. Man kann viel sehn, wenn man zwei Augen hat und man nicht blind ist und die Sonn scheint.

WOYZECK. Mi+t s++ A++

MARIE (keck). Und wenn auch.

8. Szene

⟨= *H 4,8*⟩

Woyzeck. Der Doctor.

DOCTOR. Was erleb' ich Woyzeck? Ein Mann von Wort.

WOYZECK. Was denn Herr Doctor?

DOCTOR. Ich hab's gesehn Woyzeck; er hat auf Straß gepisst, an die Wand gepisst wie ein Hund. Und doch zwei Groschen täglich. Woyzeck das ist schlecht, die Welt wird schlecht, sehr schlecht.

WOYZECK. Aber Herr Doctor, wenn einem die Natur kommt.

DOCTOR. Die Natur kommt, die Natur kommt! Die Natur! Hab' ich nicht nachgewiesen, dass der Musculus constrictor vesicae dem Willen unterworfen ist? Die Natur! Woyzeck, der Mensch ist frei, in dem Menschen verklärt sich die Individualität zur Freiheit. Den Harn nicht halten können! (Schüttelt den Kopf, legt die Hände auf den Rücken und geht auf und ab.) Hat er schon seine Erbsen gegessen, Woyzeck? – Es gibt eine Revolution in der Wissenschaft, ich sprenge sie in die Luft. Harnstoff, 0,10, salzsaures Ammonium, Hyperoxydul.
Woyzeck muss er nicht wieder pissen? geh' er einmal hinein und probier er's.

WOYZECK. Ich kann nit Herr Doctor.

DOCTOR (mit Affekt). Aber auf die Wand pissen! Ich hab's schriftlich, den Akkord in der Hand. Ich hab's gesehn, mit diesen Augen gesehn, ich streckte grade die Nase zum Fenster hinaus und ließ die Sonnenstrahlen hineinfallen, um das Niesen zu beobachten, (tritt auf ihn los) nein Woyzeck, ich ärger mich nicht, Ärger ist ungesund, ist unwissenschaftlich. Ich bin ruhig ganz ruhig, mein Puls hat seine gewöhnlichen 60 und ich sag's ihm mit der größten Kaltblütigkeit! Behüte wer wird sich über einen Menschen ärgern, einen Menschen! Wenn es noch ein Proteus wäre, der einem krepiert! Aber er hätte doch nicht an die Wand pissen sollen –

WOYZECK. Sehn sie Herr Doctor, manchmal hat man so 'nen Charakter, so 'ne Struktur. – Aber mit der Natur ist's was anders, sehn sie mit der Natur (er kracht mit den Fingern) das ist so was, wie soll ich doch sagen, zum Beispiel

DOCTOR. Woyzeck, er philosophiert wieder.

WOYZECK (vertraulich). Herr Doctor haben sie schon was von der doppelten Natur gesehn? Wenn die Sonn in Mittag steht und es ist als ging die Welt im Feuer auf hat schon eine fürchterliche Stimme zu mir geredt!

DOCTOR. Woyzeck, er hat eine Aberratio

WOYZECK (legt den Finger an die Nase). Die Schwämme Herr Doctor. Da, da steckts. Haben sie schon gesehn in was für Figuren die Schwämme auf dem Boden wachsen. Wer das lesen könnt.

DOCTOR. Woyzeck er hat die schönste Aberratio mentalis partialis, der zweiten Species, sehr schön ausgeprägt, Woyzeck er kriegt Zulage. Zweiter Species, fixe Idee, mit allgemein vernünftigem Zustand, er tut noch alles wie sonst, rasiert seinen Hauptmann!

WOYZECK. Ja, wohl.

DOCTOR. Isst seine Erbsen?

WOYZECK. Immer ordentlich Herr Doctor. Das Geld für die Menage kriegt meine Frau.

DOCTOR. Tut seinen Dienst.

WOYZECK. Ja wohl.

DOCTOR. Er ist ein interessanter Casus, Subjekt Woyzeck er kriegt Zulage. Halt er sich brav. Zeig er seinen Puls! Ja.

9. Szene

⟨= *H 4,9 und H 2,7*⟩

⟨ Straße. ⟩

Hauptmann. Doctor.

HAUPTMANN. Herr Doctor, die Pferde machen mir ganz Angst; wenn ich denke, dass die armen Bestien zu Fuß gehn müssen. Rennen Sie nicht so. Rudern Sie mit ihrem Stock nicht so in der Luft. Sie hetzen sich ja hinter dem Tod drein. Ein guter Mensch, der sein gutes Gewissen hat, geht nicht so schnell. Ein guter Mensch. (Er erwischt den Doctor am Rock.) Herr Doctor erlauben sie, dass ich ein Menschenleben rette, sie schießen Herr Doctor, ich bin so schwermütig, ich habe so was Schwärmerisches, ich muss immer weinen, wenn ich meinen Rock an der Wand hängen sehe, da hängt er.

DOCTOR. Hm, aufgedunsen, fett, dicker Hals, apoplektische Konstitution. Ja Herr Hauptmann sie können eine Apoplexia cerebralis kriechen, sie können sie aber vielleicht auch nur auf der einen Seite bekommen, und dann auf der einen gelähmt sein, oder aber sie können im besten Fall geistig gelähmt werden und nur fortvegetieren, das sind so ohngefähr ihre Aussichten auf die nächsten vier Wochen. Übrigens kann ich sie versichern, dass sie einen von den interessanten Fällen abgeben und wenn Gott will, dass ihre Zunge zum Teil gelähmt wird, so machen wir die unsterblichsten Experimente.

HAUPTMANN. Herr Doctor erschrecken Sie mich nicht, es sind schon Leute am Schreck gestorben, am bloßen hellen Schreck. – Ich sehe schon die Leute mit den Zitronen in den Händen, aber sie werden sagen, er war ein guter Mensch, ein guter Mensch – Teufel Sargnagel.

DOCTOR ⟨(hält ihm den Hut hin)⟩. Was ist das Herr Hauptmann? das ist Hohlkopf

HAUPTMANN (macht eine Falte). Was ist das Herr Doctor, das ist Einfalt.

DOCTOR. Ich empfehle mich, geehrtester Herr Exerzierzagel

HAUPTMANN. Gleichfalls, bester Herr Sargnagel. –

⟨(Woyzeck kommt gelaufen)⟩

Ha Woyzeck, was hetzt er sich so an mir vorbei. Bleib er doch Woyzeck, er läuft ja wie ein offnes Rasiermesser durch die Welt, man schneidt sich an ihm, er läuft als hätt er ein Regiment Kosaken zu rasieren und würde gehenkt über dem letzten Haar nach einer Viertelstunde – aber, über die langen Bärte, was wollt ich doch sagen? Woyzeck – die langen Bärte

DOCTOR. Ein langer Bart unter dem Kinn, schon Plinius spricht davon, man muss es den Soldaten abgewöhnen, die, die,

HAUPTMANN (fährt fort). Hä? über die langen Bärte? Wie is Woyzeck hat er noch nicht ein Haar aus einem Bart in seiner Schüssel gefunden? He er versteht mich doch, ein Haar von einem Menschen, vom Bart eines Sapeur, eines Unterofficier, eines – eines Tambourmajor? He Woyzeck? Aber Er hat eine brave Frau. Geht ihm nicht wie andern.

WOYZECK. Ja wohl! Was wollen Sie sagen Herr Hauptmann?

HAUPTMANN. Was der Kerl ein Gesicht macht! er steckt ++++++st++ct, in den Himmel nein, muss nun auch nicht in der Suppe, aber wenn er sich eilt und um die Eck geht, so kann er vielleicht noch auf Paar Lippen eins finden, ein Paar Lippen, Woyzeck, ich habe wieder die Liebe gefühlt, Woyzeck.
Kerl er ist ja kreideweiß.

WOYZECK. Herr Hauptmann, ich bin ein armer Teufel, – und hab sonst nichts – auf der Welt Herr Hauptmann, wenn Sie Spaß machen –

HAUPTMANN. Spaß ich, dass dich Spaß, Kerl!

DOCTOR. Den Puls Woyzeck, den Puls, klein, hart hüpfend, ungleich.

WOYZECK. Herr Hauptmann, die Erd ist höllenheiß, mir eiskalt, eiskalt, die Hölle ist kalt, wollen wir wetten. Unmöglich. Mensch! Mensch! unmöglich.

HAUPTMANN. Kerl, will er erschossen ⟨werden⟩, will ein Paar Kugeln vor den Kopf haben? er ersticht mich mit seinen Augen, und ich mein es gut ⟨mit⟩ ihm, weil er ein guter Mensch ist Woyzeck, ein guter Mensch.

DOCTOR. Gesichtsmuskeln starr, gespannt, zuweilen hüpfend, Haltung aufgerichtet gespannt.

WOYZECK. Ich geh! Es ist viel möglich. Der Mensch! es ist viel möglich.
Wir haben schön Wetter Herr Hauptmann. Sehn sie so ein schönen, festen grauen Himmel, man könnte Lust bekommen, einen Kloben hineinzuschlagen und sich daran zu hängen, nur wegen des Gedankenstrichels zwischen Ja, und nein, ja – und nein, Herr Hauptmann ja und nein? Ist das nein am ja oder das ja am nein schuld. Ich will drüber nachdenken.

(Geht mit breiten Schritten ab, erst langsam dann immer schneller.)

DOCTOR (schießt ihm nach). Phänomen, Woyzeck, Zulage.

HAUPTMANN. Mir wird ganz schwindlich vor den Menschen, wie schnell, der lange Schlegel greift aus, es läuft der Schatten von einem Spinnenbein, und der Kurze, das zuckelt. Der lange ist der Blitz und der kleine der Donner. Hähä, hinterdrein. Das hab' ich nicht gern! ein guter Mensch ist dankbar und hat sein Leben lieb, ein guter Mensch hat keine Courage nicht! ein Hundsfott hat Courage! Ich bin bloß in Krieg gangen um mich in meiner Liebe zum Leben zu befestigen. Von der Angst zur Angst, von da zum Krieg von da zur Courage, wie man zu so Gedanken kommt, grotesk! grotesk!

10. Szene
⟨= *H 3,1*⟩

Der Hof des Professors.

Studenten unten, der Professor am Dachfenster.

⟨PROFESSOR.⟩ Meine Herrn, ich bin auf dem Dach, wie David, als er die Bathseba sah; aber ich sehe nichts als die culs de Paris der Mädchenpension im Garten trocknen. Meine Herrn wir sind an der wichtigen Frage über das Verhältnis des Subjektes zum Objekt, wenn wir nur eins von den Dingen nehmen, worin ⟨sich⟩ die organische Selbstaffirmation des Göttlichen, auf einem der hohen Standpunkte manifestiert und ihre Verhältnisse zum Raum, zur Erde, zum Planetarischen untersuchen, meine Herrn, wenn ich diese Katze zum Fenster hinauswerfe, wie wird diese Wesenheit sich zum Centrum gravitationis und dem eignen Instinkt verhalten. He Woyzeck, (brüllt) Woyzeck!

WOYZECK. Herr Professor sie beißt.

PROFESSOR. Kerl, er greift die Bestie so zärtlich an, als wär's seine Großmutter.

WOYZECK. Herr Doctor ich hab's Zittern.

DOCTOR (ganz erfreut). Ei, ei, schön Woyzeck (reibt sich die Hände). (Er nimmt die Katze.) Was seh' ich meine Herrn, die neue Species Hühnerlaus, eine schöne Spezies, wesentlich verschieden, enfoncé, der Herr Doctor (er zieht eine Lupe heraus), Ricinus, meine Herrn – (die Katze läuft fort). Meine Herrn, das Tier hat keinen wissenschaftlichen Instinkt, Ricinus, herauf, die schönsten Exemplare, bringen sie ihre Pelzkragen. Meine Herrn, sie können dafür was anders sehen, sehen sie der Mensch, seit einem Vierteljahr isst er nichts als Erbsen, bemerkten sie die Wirkung, fühlen sie einmal was ein ungleicher Puls, da und die Augen.

WOYZECK. Herr Doctor es wird mir dunkel. (Er setzt sich.)

DOCTOR. Courage Woyzeck noch ein paar Tage, und dann ist's fertig, fühlen sie meine Herrn fühlen sie (sie betasten ihm Schläfe, Puls und Busen).
A propos, Woyzeck, beweg den Herren doch einmal die Ohren, ich hab es Ihnen schon zeigen wollen, Zwei Muskeln sind bei ihm tätig. Allons frisch!

WOYZECK. Ach Herr Doctor!

DOCTOR. Bestie, soll ich dir die Ohren bewegen; willst du's machen wie die Katze. So meine Herrn, das sind so Übergänge zum Esel, häufig auch in Folge weiblicher Erziehung, und die Muttersprache, wie viel Haare hat dir deine Mutter zum Andenken schon ausgerissen aus Zärtlichkeit. Sie sind dir ja ganz dünn geworden, seit ein paar Tagen, ja die Erbsen, meine Herren.

11. Szene
⟨= *H 4,10*⟩

Die Wachtstube.

Woyzeck. Andres.

ANDRES (singt).
Frau Wirtin hat 'ne brave Magd
Sie sitzt im Garten Tag und Nacht
Sie sitzt in ihrem Garten …

WOYZECK. Andres!

ANDRES. Nu?

WOYZECK. Schön Wetter.

ANDRES. Sonntagsonnwetter und Musik vor der Stadt. Vorhin sind die Weibsbilder hinaus, die Menscher dämpfen, das geht.

WOYZECK (unruhig). Tanz, Andres, sie tanzen

ANDRES. Im Rössel und im Sternen.

WOYZECK. Tanz, Tanz.

ANDRES. Meinetwegen.
Sie sitzt in ihrem Garten
bis dass das Glöcklein zwölfe schlägt
und passt auf die Solda – aten.

WOYZECK. Andres, ich hab keine Ruh.

ANDRES. Narr!

WOYZECK. Ich muss hinaus. Es dreht sich mir vor den Augen. Was sie heiße Händ haben. Verdammt Andres!

ANDRES. Was willst du?

WOYZECK. Ich muss fort.

ANDRES. Mit dem Mensch.

WOYZECK. Ich muss hinaus, 's ist so heiß dahie.

12. Szene
⟨= *H 4,11*⟩

Wirtshaus.

Die Fenster offen, Tanz.
Bänke vor dem Haus. Bursche

ERSTER HANDWERKSBURSCH.
Ich hab ein Hemdlein an
das ist nicht mein
Meine Seele stinkt nach Brandewein –

ZWEITER HANDWERKSBURSCH. Bruder, soll ich dir aus Freundschaft ein Loch in die Natur machen? Verdammt. Ich will ein Loch in die Natur machen. Ich bin auch ein Kerl, du weißt, ich will ihm alle Flöh am Leib totschlagen.

ERSTER HANDWERKSBURSCH. Meine Seele, meine Seele stinkt nach Brandewein. – Selbst das Geld geht in Verwesung über. Vergissmeinnicht. Wie ist diese Welt so schön. Bruder, ich muss ein Regenfass voll greinen. Ich wollt unsre Nasen wären zwei Bouteillen und wir könnten sie uns einander in den Hals gießen.

DIE ANDERN IM CHOR:

Ein Jäger aus der Pfalz,
ritt einst durch einen grünen Wald,
Halli, halloh, gar lustig ist die Jägerei
Allhier auf grüner Heid
Das Jagen ist mei Freud.

(Woyzeck stellt sich ans Fenster.

Marie und der Tambourmajor tanzen vorbei, ohne ihn zu bemerken.)

MARIE (im Vorbeitanzen). Immer zu, immer zu.

WOYZECK (erstickt). Immer zu – immer zu. (Fährt heftig auf und sinkt zurück auf die Bank.) Immer zu immer zu, (schlägt die Hände ineinander) dreht Euch, wälzt Euch. Warum bläst Gott nicht ⟨die⟩ Sonn aus, dass alles in Unzucht sich übernanderwälzt, Mann und Weib, Mensch und Vieh. Tut's am hellen Tag, tut's einem auf den Händen, wie die Mücken. – Weib. – ⟨*Möglicherweise Arbeitsnotiz:*⟩ Das Weib ist heiß, heiß! – Immer zu, immer zu, (fährt auf) der Kerl! Wie er an ihr herumtappt, an ihrem Leib, er rührt sie an

ERSTER HANDWERKSBURSCH (predigt auf dem Tisch). Jedoch wenn ein Wandrer, der gelehnt steht an den Strom der Zeit oder aber sich die göttliche Weisheit beantwortet und sich anredet: Warum ist der Mensch? Warum ist der Mensch? – Aber wahrlich ich sage Euch, von was hätte der Landmann, der Weißbinder, der Schuster, der Arzt leben sollen, wenn Gott den Menschen nicht geschaffen hätte? Von was hätte der Schneider leben sollen, wenn er dem Menschen nicht die Empfindung der Scham eingepflanzt, von was der Soldat, wenn ⟨er⟩ ihn nicht mit dem Bedürfnis sich totzuschlagen ausgerüstet hätte? Darum zweifelt nicht, ja ja, es ist lieblich und fein, aber alles Irdische ist eitel, selbst das Geld geht in Verwesung über. – Zum Beschluss, meine geliebten Zuhörer lasst uns noch übers Kreuz pissen, damit ein Jud stirbt.

13. Szene
⟨= *H 4,12*⟩

Freies Feld.

Woyzeck.

Immer zu! immer zu! Still Musik. – (Reckt sich gegen den Boden.) He was, was sagt ihr? Lauter, lauter, stich, stich die Zickwolfin tot? stich, stich die Zickwolfin tot. Soll ich? Muss ich? Hör ich's da noch, sagt's der Wind auch? Hör ich's immer, immer zu, stich tot, tot.

14. Szene
⟨= *H 4,13*⟩

Nacht.

Andres und Woyzeck in einem Bett.

WOYZECK (schüttelt Andres). Andres! Andres! ich kann nit schlafen, wenn ich die Augen zumach, dreht sich's immer und ich hör die Geigen, immer zu, immer zu und dann sprichts aus der Wand, hörst du nix?

ANDRES. Ja, – lass sie tanzen – Gott behüt uns, Amen (schläft wieder ein).

WOYZECK. Es zieht mir zwischen den Augen wie ein Messer.

ANDRES. Du musst Schnaps trinken und Pulver drein, das schneidt das Fieber.

15. Szene

⟨= *H 4,14*⟩

Wirtshaus.

Tambourmajor. Woyzeck. Leute.

TAMBOURMAJOR. Ich bin ein Mann! (schlägt sich auf die Brust) ein Mann sag' ich.
Wer will was? Wer kein besoffner Herrgott ist der lass sich von mir. Ich will ihm die Nas ins Arschloch prügeln. Ich will – (zu Woyzeck) da Kerl, sauf, der Mann muss saufen, ich wollt die Welt wär Schnaps, Schnaps

WOYZECK (pfeift).

TAMBOURMAJOR. Kerl, soll ich dir die Zung aus dem Hals ziehn und sie um den Leib herumwicklen? (Sie ringen, Woyzeck verliert.) Soll ich dir noch so viel Atem lassen als ein Altweiberfurz, soll ich?

WOYZECK (setzt sich erschöpft zitternd auf eine Bank).

TAMBOURMAJOR. Der Kerl soll dunkelblau pfeifen. Ha.

Brandewein das ist mein Leben
Brandwein gibt Courage!

EINER. Der hat sein Fett.

ANDRER. Er blut.

WOYZECK. Eins nach dem andern.

16. Szene

⟨= *H 4,15*⟩

Woyzeck. Der Jude.

WOYZECK. Das Pistolchen ist zu teuer.

JUD. Nu, kauft's oder kauft's nit, was is?

WOYZECK. Was kost das Messer.

JUD. ’s ist gar, grad! Wollt Ihr Euch den Hals mit abschneiden, nu, was is es? Ich gäb’s Euch so wohlfeil wie ein andrer, Ihr sollt Euern Tod wohlfeil haben, aber doch nit umsonst. Was is es? Er soll einen ökonomischen Tod haben

WOYZECK. Das kann mehr als Brot schneiden.

JUD. Zwei Groschen.

WOYZECK. Da! (Geht ab.)

JUD. Da! Als ob’s nichts wär. Und es is doch Geld. Der Hund.

17. Szene

⟨= *H 4,16*⟩

Marie (allein, blättert in der Bibel).

⟨MARIE.⟩ Und ist kein Betrug in seinem Munde erfunden. Herrgott. Herrgott! Sieh mich nicht an. (Blättert weiter.) Aber die Pharisäer brachten ein Weib zu ihm, im Ehebruche begriffen und stelleten sie ins Mittel dar. – Jesus aber sprach: so verdamme ich dich auch nicht. Geh hin und sündige hinfort nicht mehr. (Schlägt die Hände zusammen.) Herrgott! Herrgott! Ich kann nicht. Herrgott gib mir nur so viel, dass ich beten kann. (Das Kind drängt sich an sie.) Das Kind gibt mir einen Stich ins Herz. Fort! Das brüht sich in der Sonne!

NARR (liegt und erzählt sich Märchen an den Fingern). Der hat die goldne Kron, der Herr König. Morgen hol’ ich der Frau Königin ihr Kind. Blutwurst sagt: komm Leberwurst (er nimmt das Kind und wird still).

⟨MARIE.⟩ Der Franz ist nit gekommen, gestern nit, heut nit, es wird heiß hie. (Sie macht das Fenster auf.) Und trat hinein zu seinen Füßen und weinete und fing an seine Füße zu netzen mit Tränen und mit den Haaren ihres Hauptes zu trocknen und küssete seine Füße und salbete sie mit Salben. (Schlägt sich auf die Brust.) Alles tot! Heiland, Heiland ich möchte dir die Füße salben

18. Szene

〈= *H 4,17*〉

Kaserne.

Andres. Woyzeck, kramt in seinen Sachen.

WOYZECK. Das Kamisolchen Andres, ist nit zur Montour, du kannst's brauchen Andres. Das Kreuz is meiner Schwester und das Ringlein, ich hab auch noch ein Heiligen, zwei Herzen und schön Gold, es lag in meiner Mutter Bibel und da steht:

Leiden sei all mein Gewinst,
Leiden sei mein Gottesdienst,
Herr wie dein Leib war rot und wund
So lass mein Herz sein aller Stund.

Meine Mutter fühlt nur noch, wenn ihr die Sonn auf die Händ scheint! Das tut nix.

ANDRES (ganz starr, sagt zu allem) ja wohl.

WOYZECK (zieht ein Papier hervor). Friedrich Johann Franz Woyzeck, geschworner Füsilier im 2. Regiment, 2. Bataillon 4. Compagnie, geboren Mariae Verkündigung ich bin heut den 20. Juli alt 30 Jahre 7 Monat und 12 Tage.

ANDRES. Franz, du kommst ins Lazarett. Armer du musst Schnaps trinken und Pulver drin das tödt das Fieber.

WOYZECK. Ja Andres, wann der Schreiner die Hobelspän hobelt, es weiß niemand, wer sein Kopf drauf legen wird.

19. Szene

⟨= *H 1,14*⟩

Marie mit Mädchen vor der Haustür

MÄDCHEN.

Wie scheint die Sonn St. Lichtmesstag
Und steht das Korn im Blühn.
Sie gingen wohl die Straße hin
Sie gingen zu zwei und zwein
Die Pfeifer gingen vorn
Die Geiger hinter drein.
Sie hatten rote S+k

ERSTES ⟨KIND.⟩ 's ist nit schön.

ZWEITES ⟨KIND.⟩ Was willst du auch immer.

⟨KIND.⟩ Was hast zuerst angefangen.

⟨KIND.⟩ Ich kann nit.

⟨KIND.⟩ Warum?

⟨KIND.⟩ Darum?

⟨KIND.⟩ Aber warum darum?

⟨KIND.⟩ Es muss singen.

⟨KIND.⟩ Mariechen sing du uns.

MARIE. Kommt ihr kleine Krabben!
Ringle, ringel Rosenkranz. König Herodes.
Großmutter erzähl.

GROSSMUTTER. Es war einmal ein arm Kind und hat kein Vater und keine Mutter war alles tot und war niemand mehr auf der Welt. Alles tot, und es ist hingangen und hat gerrt Tag und Nacht. Und wie auf die Erd niemand mehr war, wollt's in Himmel gehn, und der Mond guckt es so freundlich an und wie's endlich zum Mond kam, war's ein Stück faul Holz und da ist es zur Sonn gangen und wie's zur Sonn kam war's eine verwelkte Sonnenblume und wie's zu den Sternen kam, warens kleine goldne Mücken die waren angesteckt wie der Neuntöter sie auf die Schlehen steckt und wies wieder auf die Erd wollt, war die Erd ein umgestürzter Hafen und war ganz allein und da hat sich s hingesetzt und gerrt und da sitzt es noch und ist ganz allein

WOYZECK. Marie!

MARIE (erschreckt). Was ist

WOYZECK. Marie wir wollen gehn 's ist Zeit.

MARIE. Wohinaus

WOYZECK. Weiß ich's?

20. Szene
⟨= *H 1,15*⟩

Marie und Woyzeck.

MARIE. Also dort hinaus ist die Stadt 's ist finster.

WOYZECK. Du sollst noch bleiben. Komm setz dich.

MARIE. Aber ich muss fort.

WOYZECK. Du würdest dir die Füße nicht wund laufen

MARIE. Wie bist du denn auch?

WOYZECK. Weißt du auch wie lang es j++ ist Marie

MARIE. Um Pfingsten zwei Jahr

WOYZECK. Weißt du auch wie lang es noch sein wird?

MARIE. Ich muss fort der Nachttau fällt.

WOYZECK. Friert's dich Marie, und doch bist du warm. Was du heiße Lippen hast! (Heiß, heißer Hurenatem und doch möcht' ich den Himmel geben sie noch einmal zu küssen)
S+++be und wenn man kalt ist, so friert man nicht mehr. Du wirst vom Morgentau nicht frieren.

MARIE. Was sagst du?

WOYZECK. Nix. (Schweigen.)

MARIE. Was der Mond rot aufgeht.

WOYZECK. Wie ein blutig Eisen.

MARIE. Was hast du vor? Franz, du bist so blass. Franz halt. Um des Himmels willen, he Hülfe

WOYZECK. Nimm das und das! Kannst du nicht sterben.

So! so! Ha sie zuckt noch, noch nicht noch nicht? Immer noch? (Stößt zu.)
Bist du tot? Tot! Tot! (Es kommen Leute, läuft weg.)

21. Szene
⟨= *H 1,16*⟩

Es kommen Leute.

ERSTE P⟨ERSON⟩. Halt!
ZWEITE P⟨ERSON⟩. Hörst du? Still! Dort.
ERSTE ⟨PERSON⟩. Uu! da! Was ein Ton.
ZWEITE ⟨PERSON⟩. Es ist das Wasser, es ruft, schon lang ist niemand ertrunken. Fort 's ist nicht gut, es zu hören.
ERSTE ⟨PERSON⟩. Und jetzt wieder. Wie ein Mensch der stirbt.
ZWEITE ⟨PERSON⟩. Es ist unheimlich, so duftig – halb Nebel, grau und das Summen der Käfer wie gesprungne Glocken. Fort!
ERSTE ⟨PERSON⟩. Nein, zu deutlich, zu laut. Da hinauf. Komm mit.

22. Szene
⟨= *H 1,17*⟩

Das Wirtshaus.

WOYZECK. Tanzt alle, immer zu, schwitzt und stinkt, er holt Euch doch einmal alle.
(Singt.)

Frau Wirtin hat 'ne brave Magd
Sie sitzt im Garten Tag und Nacht
Sie sitzt in ihrem Garten
Bis dass das Glöcklein zwölfe schlägt
Und passt auf die Soldaten.

(Er tanzt.) So Käthe! setz dich! Ich hab heiß! heiß (er zieht

den Rock aus) es ist einmal so, der Teufel holt die eine und lässt die andre laufen.
Käthe du bist heiß! Warum denn Käthe du wirst auch noch kalt werden. Sei vernünftig. Kannst du nicht singen?

⟨KÄTHE.⟩

Ins Schwabeland das mag ich nicht
Und lange Kleider trag ich nicht
Denn lange Kleider spitze Schuh,
Die kommen keiner Dienstmagd zu.

⟨WOYZECK.⟩ Nein, keine Schuh, man kann auch ohne Schuh in die Höll gehn.

⟨KÄTHE.⟩

O pfui mein Schatz das war nicht fein.
Behalt dein Taler und schlaf allein.

⟨WOYZECK.⟩ Ja wahrhaftig, ich möchte mich nicht blutig machen.

KÄTHE. Aber was hast du an deiner Hand.

WOYZECK. Ich? Ich?

KÄTHE. Rot, Blut (es stellen sich Leute um sie).

WOYZECK. Blut? Blut?

WIRT. Uu Blut.

WOYZECK. Ich glaub ich hab' mich geschnitten, da an die rechte Hand.

WIRT. Wie kommt's aber an den Ellenbogen?

WOYZECK. Ich hab's abgewischt.

WIRT. Was mit der rechten Hand an den rechten Ellbogen. Ihr seid geschickt

NARR. Und da hat der Riese gesagt: ich riech, ich riech, ich riech Menschenfleisch. Puh. Der stinkt schon

WOYZECK. Teufel, was wollt Ihr? Was geht's Euch an? Platz! oder der erste – Teufel. Meint Ihr ich hätt jemand umgebracht? Bin ich Mörder? Was gafft Ihr! Guckt Euch selbst an. Platz da (er läuft hinaus.)

23. Szene
⟨= *H 1,18*⟩

Kinder.

ERSTES KIND. Fort. Margrethe!
ZWEITES KIND. Was is.
ERSTES KIND. Weißt du's nit? Sie sind schon alle hinaus. Draußen liegt eine.
ZWEITES KIND. Wo?
ERSTES ⟨KIND⟩. Links über die Lochschneis in die Wäldchen, am roten Kreuz.
ZWEITES ⟨KIND⟩. Fort, dass wir noch was sehen. Sie tragen ⟨sie⟩ sonst hinein.

24. Szene
⟨= *H 1,19*⟩

Woyzeck, allein.

Das Messer? Wo ist das Messer? Ich hab' es da gelassen. Es verrät mich! Näher, noch näher! Was ist das für ein Platz? Was hör ich? Es rührt sich was. Still. Da in der Nähe. Marie? Ha Marie! Still. Alles still! (Was bist du so bleich, Marie? Was hast du eine rote Schnur um den Hals? Bei wem hast du das Halsband verdient, mit deiner Sünde? Du warst schwarz davon, schwarz! Hab ich dich jetzt gebleicht. Was hängen deine schwarzen Haare, so wild? Hast du deine Zöpfe heut nicht geflochten?) Da liegt was! kalt, nass, stille. Weg von dem Platz, das Messer, das Messer hab ich's? So! Leute – Dort. (Er läuft weg.)

25. Szene

⟨= *H 1,20*⟩

Woyzeck an einem Teich.

So da hinunter! (Er wirft das Messer hinein.) Es taucht in das dunkle Wasser, wie Stein! Der Mond ist wie ein blutig Eisen! Will denn die ganze Welt es ausplaudern? Nein es liegt zu weit vorn, wenn sie sich baden (er geht in den Teich und wirft weit) so jetzt, aber im Sommer, wenn sie tauchen nach Muscheln, bah es wird rostig. Wer kann's erkennen? hätt' ich es zerbrochen. Bin ich noch blutig? ich muss mich waschen. Da ein Fleck und da noch einer.

26. Szene

⟨= *H 1,21*⟩

Gerichtsdiener. Barbier. Arzt. Richter.

POLIZEIDIENER. Ein guter Mord, ein echter Mord, ein schöner Mord, so schön als man ihn nur verlangen tun kann, wir haben schon lange so keinen gehabt. –

27. Szene

⟨= *H 3,2*⟩

Der Idiot. Das Kind. Woyzeck.

KARL (hält das Kind vor sich auf dem Schoß). Der is ins Wasser gefallen, der is ins Wasser gefallen, wie, der is ins Wasser gefallen.

WOYZECK. Bub, Christian.

KARL (sieht ihn starr an). Der is ins Wasser gefallen.

WOYZECK (will das Kind liebkosen, es wendet sich weg und schreit). Herrgott!

KARL. Der is ins Wasser gefallen.

WOYZECK. Christianchen, du bekommst en Reuter, sa sa. (Das Kind wehrt sich.) (Zu Karl.) Da kauf dem Bub en Reuter.

KARL (sieht ihn starr an).

WOYZECK. Hop! hop! Ross.

KARL (jauchzend). Ho! hop! Ross! Ross (läuft mit dem Kind weg).

Leonce und Lena

Ein Lustspiel

Vorrede

Alfieri: »E la fama?«
Gozzi: »E la fame?«

Personen

KÖNIG PETER vom Reiche Popo
PRINZ LEONCE, sein Sohn, verlobt mit
PRINZESSIN LENA vom Reiche Pipi
VALERIO
DIE GOUVERNANTE
DER HOFMEISTER
DER PRÄSIDENT DES STAATSRATS
DER HOFPREDIGER
DER LANDRAT
DER SCHULMEISTER
ROSETTA
BEDIENTE, STAATSRÄTE, BAUERN, etc. etc.

Erster Akt

»O wär ich doch ein Narr!
Mein Ehrgeiz geht auf ⟨ ⟩eine bunte Jacke.«
Wie es Euch gefällt.

Erste Szene

Ein Garten.
Leonce (halb ruhend auf einer Bank). Der Hofmeister.

LEONCE. Mein Herr, was wollen Sie von mir? Mich auf meinen Beruf vorbereiten? Ich habe alle Hände voll zu tun. Ich weiß mir vor Arbeit nicht zu helfen. Sehen Sie, erst habe ich auf den Stein hier dreihundertfünfundsechzig Mal hintereinander zu spucken. Haben Sie das noch nicht probiert? Tun Sie es, es gewährt eine ganz eigne Unterhaltung. – Dann, sehen Sie diese Hand voll Sand? – (er nimmt Sand auf, wirft ihn in die Höhe und fängt ihn mit dem Rücken der Hand wieder auf) – jetzt werf ich sie in die Höhe. Wollen wir wetten? Wie⟨*v*⟩iel Körnchen hab ich jetzt auf dem Handrücken? Grad oder ungrad? Wie? Sie wollen nicht wetten? Sind Sie ein Heide? Glauben Sie an Gott? Ich wette gewöhnlich mit mir selbst und kann es tagelang so treiben. Wenn Sie einen Menschen aufzutreiben wissen, der Lust hätte, manchmal mit mir zu wetten, so werden Sie mich sehr verbinden. Dann – habe ich nachzudenken, wie es wohl angehen mag, dass ich mir einmal auf den Kopf sehe. – O wer sich einmal auf den Kopf sehen könnte! Das ist eines von meinen Idealen. Und dann – und dann – noch unendlich viel der Art. – Bin ich ein Müßiggänger? Habe ich keine Beschäftigung? – Ja, es ist traurig …

HOFMEISTER. Sehr traurig, Eure Hoheit.

LEONCE. Dass die Wolken schon seit drei Wochen von

Westen nach Osten ziehen. Es macht mich ganz melancholisch.

HOFMEISTER. Eine sehr gegründete Melancholie.

LEONCE. Mensch, warum widersprechen Sie mir nicht? Sie haben dringende Geschäfte, nicht wahr? Es ist mir leid, dass ich Sie so lange aufgehalten habe. (Der Hofmeister entfernt sich mit einer tiefen Verbeugung.) Mein Herr, ich gratuliere Ihnen zu der schönen Parenthese, die Ihre Beine machen, wenn Sie sich verbeugen.

LEONCE (allein, streckt sich auf der Bank aus). Die Bienen sitzen so träg an den Blumen und der Sonnenschein liegt so faul auf dem Boden. Es krassiert ein entsetzlicher Müßiggang. – Müßiggang ist aller Laster Anfang. Was die Leute nicht alles aus Langeweile treiben! Sie studieren aus Langeweile, sie beten aus Langeweile, sie verlieben, verheiraten und vermehren sich aus Langeweile und sterben endlich aus Langeweile, und – und das ist der Humor davon – alles mit den wichtigsten Gesichtern, ohne zu merken, warum, und meinen Gott weiß was dazu. Alle diese Helden, diese Genies, diese Dummköpfe, diese Heiligen, diese Sünder, diese Familienväter sind im Grunde nichts als raffinierte Müßiggänger. – Warum muss ich es grade wissen? Warum kann ich mir nicht wichtig werden und der armen Puppe einen Frack anziehen und einen Regenschirm in die Hand geben, dass sie sehr rechtlich und sehr nützlich und sehr moralisch würde? – Der Mann, der eben von mir ging, ich beneidete ihn, ich hätte ihn aus Neid prügeln mögen. O wer einmal jemand anderes sein könnte! Nur 'ne Minute lang. Wie der Mensch läuft! Wenn ich nur etwas unter der Sonne wüsste, was mich noch könnte laufen machen.

(Valerio, etwas betrunken, tritt auf.)

VALERIO (stellt sich dicht vor den Prinzen, legt den Finger an die Nase und sieht ihn starr an). Ja!

LEONCE (ebenso). Richtig!

VALERIO. Haben Sie mich begriffen?

LEONCE. Vollkommen.

VALERIO. Nun, so wollen wir von etwas anderem reden. (Er legt sich ins Gras.) Ich werde mich indessen in das Gras legen und meine Nase oben zwischen den Halmen herausblühen lassen und romantische Empfindungen beziehen, wenn die Bienen und Schmetterlinge sich darauf wiegen, wie auf einer Rose.

LEONCE. Aber Bester, schnaufen Sie nicht so stark, oder die Bienen und Schmetterlinge müssen verhungern über den ungeheuren Prisen, die Sie aus den Blumen ziehen.

VALERIO. Ach Herr, was ich ein Gefühl für die Natur habe! Das Gras steht so schön, dass man ein Ochs sein möchte, um es fressen zu können, und dann wieder ein Mensch, um den Ochsen zu essen, der solches Gras gefressen.

LEONCE. Unglücklicher, Sie scheinen auch an Idealen zu laborieren.

VALERIO. Es ist ein Jammer. Man kann keinen Kirchturm herunterspringen, ohne den Hals zu brechen. Man kann keine vier Pfund Kirschen mit den Steinen essen, ohne Leibweh zu kriegen. Seht, Herr, ich könnte mich in eine Ecke setzen und singen vom Abend bis zum Morgen: »Hei, da sitzt e Fleig' an der Wand! Fleig' an der Wand! Fleig' an der Wand!« und so fort bis zum Ende meines Lebens.

LEONCE. Halt's Maul mit deinem Lied, man könnte darüber ein Narr werden.

VALERIO. So wäre man doch etwas. Ein Narr! Ein Narr! Wer will mir seine Narrheit gegen meine Vernunft verhandeln? Ha, ich bin Alexander der Große! Wie mir die Sonne eine goldne Krone in die Haare scheint, wie meine Uniform blitzt! Herr Generalissimus Heupferd, lassen Sie die Truppen anrücken! Herr Finanzminister Kreuzspinne, ich brauche Geld! Liebe Hofdame Libelle, was macht meine teure Gemahlin Bohnenstange? Ach bester Herr Leibmedicus Cantharide, ich bin um einen Erbprinzen verlegen. Und zu diesen köstlichen Phantasieen bekommt man gute Suppe, gutes Fleisch, gutes Brot, ein gutes Bett und das Haar umsonst geschoren, – im Narrenhaus nämlich, – während ich mit meiner gesunden Vernunft mich höchstens noch zur Beförderung der Reife auf einen Kirschbaum verdingen könnte, um – nun? – um?

LEONCE. Um die Kirschen durch die Löcher in deinen Hosen schamrot zu machen! Aber Edelster, dein Handwerk, deine Profession, dein Gewerbe, dein Stand, deine Kunst?

VALERIO (mit Würde). Herr, ich habe die große Beschäftigung, müßig zu gehen, ich habe eine ungemeine Fertigkeit im Nichtstun, ich besitze eine ungeheure Ausdauer in der Faulheit. Keine Schwiele schändet meine Hände, der Boden hat noch keinen Tropfen von meiner Stirne getrunken, ich bin noch Jungfrau in der Arbeit, und wenn es mir nicht der Mühe zu viel wäre, würde ich mir die Mühe nehmen, Ihnen diese Verdienste weitläufiger auseinanderzusetzen.

LEONCE (mit komischem Enthusiasmus). Komm an meine Brust! Bist du einer von den Göttlichen, welche mühelos mit reiner Stirne durch den Schweiß und Staub über die Heerstraße des Lebens wandeln, und mit glänzenden Sohlen und blühenden Leibern gleich seligen Göttern in den Olympus treten? Komm! Komm!

VALERIO (singt im Abgehen). Hei! da sitzt e Fleig' an der Wand! Fleig' an der Wand! Fleig' an der Wand!

(Beide Arm in Arm ab.)

Zweite Szene

Ein Zimmer.
König Peter wird von zwei Kammerdienern angekleidet.

PETER (während er angekleidet wird). Der Mensch muss denken und ich muss für meine Untertanen denken, denn sie denken nicht, sie denken nicht. – Die Substanz ist das an sich, das bin ich. (Er läuft fast nackt im Zimmer herum.) Begriffen? An sich ist an sich, versteht Ihr? Jetzt kommen meine Attribute, Modifikationen, Affektionen und Akzidenzien, wo ist mein Hemd, meine Hose? – Halt, pfui! der freie Wille steht da vorn ganz offen. Wo ist die Moral, wo sind die Manschetten? Die Kategorien sind in der schändlichsten Verwirrung, es sind zwei Knöpfe zu viel zugeknöpft, die Dose steckt in der rechten Tasche. Mein ganzes System ist ruiniert. – Ha, was bedeutet der Knopf im Schnupftuch? Kerl, was bedeutet der Knopf, an was wollte ich mich erinnern?

ERSTER KAMMERDIENER. Als Eure Majestät diesen Knopf in ihr Schnupftuch zu knüpfen geruhten, so wollten Sie …

KÖNIG. Nun?

ERSTER KAMMERDIENER. Sich an etwas erinnern.

PETER. Eine verwickelte Antwort! – Ei! Nun an was meint Er?

ZWEITER KAMMERDIENER. Eure Majestät wollten sich an etwas erinnern, als sie diesen Knopf in Ihr Taschentuch zu knüpfen geruhten.

PETER (läuft auf und ab). Was? Was? Die Menschen machen mich confus, ich bin in der größten Verwirrung. Ich weiß mir nicht mehr zu helfen. (Ein Diener tritt auf.)

DIENER. Eure Majestät, der Staatsrat ist versammelt.

PETER (freudig). Ja, das ist's, das ist's. – Ich wollte mich an mein Volk erinnern! Kommen Sie meine Herren! Gehn Sie symmetrisch. Ist es nicht sehr heiß? Nehmen

Sie doch auch Ihre Schnupftücher und wischen Sie sich das Gesicht. Ich bin immer so in Verlegenheit, wenn ich öffentlich sprechen soll. (Alle ab.)

König Peter. Der Staatsrat.

PETER. Meine Lieben und Getreuen, ich wollte Euch hiermit kund und zu wissen tun, kund und zu wissen tun – denn entweder verheiratet sich mein Sohn, oder nicht (legt den Finger an die Nase) entweder, oder – Ihr versteht mich doch? Ein Drittes gibt es nicht. Der Mensch muss denken. (Steht eine Zeitlang sinnend.) Wenn ich so laut rede, so weiß ich nicht wer es eigentlich ist, ich oder ein anderer, das ängstigt mich. (Nach langem Besinnen.) Ich bin ich. – Was halten Sie davon, Präsident?

PRÄSIDENT (gravitätisch langsam). Eure Majestät, vielleicht ist es so, vielleicht ist es aber auch nicht so.

Der ganze STAATSRAT im Chor. Ja, vielleicht ist es so, vielleicht ist es aber auch nicht so.

KÖNIG PETER (mit Rührung). O meine Weisen! – Also von was war eigentlich die Rede? Von was wollte ich sprechen? Präsident, was haben Sie ein so kurzes Gedächtnis bei einer so feierlichen Gelegenheit? Die Sitzung ist aufgehoben. (Er entfernt sich feierlich, der ganze Staatsrat folgt ihm.)

Dritte Szene

Ein reichgeschmückter Saal, Kerzen brennen.
Leonce mit einigen Dienern.

LEONCE. Sind alle Läden geschlossen? Zündet die Kerzen an! Weg mit dem Tag! Ich will Nacht, tiefe ambrosische Nacht. Stellt die Lampen unter Krystallglocken zwischen die Oleander, dass sie wie Mädchenaugen unter den Wimpern der Blätter hervorträumen. Rückt die Rosen näher, dass der Wein wie Tautropfen auf die Kelche sprudle. Musik! Wo sind die Violinen? Wo ist die Rosetta? Fort! Alle hinaus!

(Die Diener gehen ab. Leonce streckt sich auf ein Ruhebett. Rosetta, zierlich gekleidet, tritt ein. Man hört Musik aus der Ferne.)

ROSETTA (nähert sich schmeichelnd). Leonce!
LEONCE. Rosetta!
ROSETTA. Leonce!
LEONCE. Rosetta!
ROSETTA. Deine Lippen sind träg. Vom Küssen?
LEONCE. Vom Gähnen!
ROSETTA. Oh!
LEONCE. Ach Rosetta, ich habe die entsetzliche Arbeit …
ROSETTA. Nun?
LEONCE. Nichts zu tun …
ROSETTA. Als zu lieben?
LEONCE. Freilich Arbeit!
ROSETTA (beleidigt). Leonce!
LEONCE. Oder Beschäftigung.
ROSETTA. Oder Müßiggang.
LEONCE. Du hast Recht wie immer. Du bist ein kluges Mädchen, und ich halte viel auf deinen Scharfsinn.
ROSETTA. So liebst Du mich aus Langeweile?
LEONCE. Nein, ich habe Langeweile, weil ich dich liebe. Aber ich liebe meine Langeweile wie dich. Ihr seid eins. O dolce far niente, ich träume über deinen Augen, wie an wunderheimlichen tiefen Quellen, das Kosen deiner Lippen schläfert mich ein, wie Wellenrauschen. (Er umfasst sie.) Komm liebe Langeweile, deine Küsse sind ein wollüstiges Gähnen, und deine Schritte sind ein zierlicher Hiatus.
ROSETTA. Du liebst mich, Leonce?

LEONCE. Ei warum nicht?
ROSETTA. Und immer?
LEONCE. Das ist ein langes Wort: immer! Wenn ich dich nun noch fünftausend Jahre und sieben Monate liebe, ist's genug? Es ist zwar viel weniger, als immer, ist aber doch eine erkleckliche Zeit, und wir können uns Zeit nehmen, uns zu lieben.
ROSETTA. Oder die Zeit kann uns das Lieben nehmen.
LEONCE. Oder das Lieben uns die Zeit. Tanze, Rosetta, tanze, dass die Zeit mit dem Takt deiner niedlichen Füße geht.
ROSETTA. Meine Füße gingen lieber aus der Zeit.

(Sie tanzt und singt.)

O meine müden Füße ihr müsst tanzen
In bunten Schuhen,
Und möchtet lieber tief, tief
Im Boden ruhen.

O meine heißen Wangen, ihr müsst glühen
Im wilden Kosen,
Und möchtet lieber blühen
Zwei weiße Rosen.

O meine armen Augen, ihr müsst blitzen
Im Strahl der Kerzen,
Und lieber schlieft ihr aus im Dunkeln
Von euren Schmerzen.

LEONCE (indes träumend vor sich hin). O, eine sterbende Liebe ist schöner, als eine werdende. Ich bin ein Römer; bei dem köstlichen Mahle spielen zum Des⟨s⟩ert die goldnen Fische in ihren Todesfarben. Wie ihr das Rot von den Wangen stirbt, wie still das Auge ausglüht, wie leis das Wogen ihrer Glieder steigt und fällt! Adio, adio meine Liebe, ich will deine Leiche lieben. (Rosetta nähert sich ihm wieder.) Tränen, Rosetta? Ein feiner Epikuräismus – weinen zu können. Stelle dich in die Sonne, dass die köstlichen Tropfen krystallisieren, es muss prächtige Diamanten geben. Du kannst dir ein Halsband daraus machen lassen.

ROSETTA. Wohl Diamanten, sie schneiden mir in die Augen. Ach Leonce! (Will ihn umfassen.)

LEONCE. Gib Acht! Mein Kopf! Ich habe unsere Liebe darin beigesetzt. Sieh zu den Fenstern meiner Augen hinein. Siehst du, wie schön tot das arme Ding ist? Siehst du die zwei weißen Rosen auf seinen Wangen und die zwei roten auf seiner Brust? Stoß mich nicht, dass ihm kein Ärmchen abbricht, es wäre schade. Ich muss meinen Kopf gerade auf den Schultern tragen, wie die Totenfrau einen Kindersarg.

ROSETTA (scherzend). Narr!

LEONCE. Rosetta! (Rosetta macht ihm eine Fratze.) Gott sei Dank! (Hält sich die Augen zu.)

ROSETTA (erschrocken). Leonce, sieh mich an.

LEONCE. Um keinen Preis!

ROSETTA. Nur einen Blick!

LEONCE. Keinen! ⟨*W*⟩einst du? Um ein klein wenig, und meine liebe Liebe käme wieder auf die Welt. Ich bin froh, dass ich sie begraben habe. Ich behalte den Eindruck.

ROSETTA (entfernt sich traurig und langsam, sie singt im Abgehn:)

Ich bin eine arme Waise,
Ich fürchte mich ganz allein.
Ach lieber Gram –
Willst du nicht kommen mit mir heim?

LEONCE (allein). Ein sonderbares Ding um die Liebe. Man liegt ein Jahr lang schlafwachend zu Bette, und an einem schönen Morgen wacht man auf, trinkt ein Glas Wasser, zieht seine Kleider an und fährt sich mit der Hand über die Stirn und besinnt sich – und besinnt sich. – Mein Gott, wie viel Weiber hat man nötig, um die Scala der Liebe auf und ab zu singen? Kaum dass eine einen Ton ausfüllt. Warum ist der Dunst über unsrer Erde ein Prisma, das den weißen Glutstrahl der Liebe in einen Regenbogen bricht? – (Er trinkt.) In welcher Bouteille steckt denn der Wein, an dem ich mich heute betrinken soll? Bringe ich es nicht einmal mehr so weit? Ich sitze wie unter einer Luftpumpe. Die Luft so scharf und dünn, dass mich friert, als sollte ich in Nankinhosen Schlittschuh laufen. – Meine Herren, meine Herren, wisst ihr auch, was Caligula und Nero waren? Ich weiß es. – Komm Leonce, halte mir einen Monolog, ich will zuhören. Mein Leben gähnt mich an, wie ein großer weißer Bogen Papier, den ich vollschreiben soll, aber ich bringe keinen Buchstaben heraus. Mein Kopf ist ein leerer Tanzsaal, einige verwelkte Rosen und zerknitterte Bänder auf dem Boden, geborstene Violinen in der Ecke, die letzten Tänzer haben die Masken abgenommen und sehen mit todmüden Augen einander an. Ich stülpe mich jeden Tag vierundzwanzigmal herum, wie einen Handschuh. O ich kenne mich, ich weiß was ich in einer Viertelstunde, was ich in acht Tagen, was ich in einem Jahre denken und träumen werde. Gott, was habe ich denn verbrochen, dass du mich, wie einen Schulbuben, meine Lektion so oft hersagen lässt? – Bravo Leonce! Bravo! (Er klatscht.) Es tut mir ganz wohl, wenn ich mir so rufe. He! Leonce! Leonce!

VALERIO (unter einem Tisch hervor). Eure Hoheit scheint mir wirklich auf dem besten Weg, ein wahrhaftiger Narr zu werden.

LEONCE. Ja, beim Licht besehen, kommt es mir eigentlich ebenso vor.

VALERIO. Warten Sie, wir wollen uns darüber sogleich ausführlicher unterhalten. Ich habe nur noch ein Stück Braten zu verzehren, das ich aus der Küche, und etwas Wein, den ich von Ihrem Tische gestohlen. Ich bin gleich fertig.

LEONCE. Das schmatzt. Der Kerl verursacht mir ganz idyllische Empfindungen; ich könnte wieder mit dem Einfachsten anfangen, ich könnte Käs essen, Bier trinken, Tabak rauchen. Mach fort, grunze nicht so mit deinem Rüssel, und klappre mit deinen Hauern nicht so.

VALERIO. Wertester Adonis, sind Sie in Angst um Ihre Schenkel? Sein Sie unbesorgt, ich bin weder ein Besenbinder, noch ein Schulmeister. Ich brauche keine Gerten zu Ruten.

LEONCE. Du bleibst nichts schuldig.

VALERIO. Ich wollte, es ginge meinem Herrn ebenso.

LEONCE. Meinst du, damit du zu deinen Prügeln kämst? Bist du so besorgt um deine Erziehung?

VALERIO. O Himmel, man kömmt leichter zu seiner Erzeugung, als zu seiner Erziehung. Es ist traurig, in welche Umstände einen andere Umstände versetzen können! Was für Wochen hab ich erlebt, seit meine Mutter in die Wochen kam! Wie viel Gutes hab ich empfangen, das ich meiner Empfängnis zu danken hätte?

LEONCE. Was deine Empfänglichkeit betrifft, so könnte sie es nicht besser treffen, um getroffen zu werden. Drück dich besser aus, oder du sollst den unangenehmsten Eindruck von meinem Nachdruck haben.

VALERIO. Als meine Mutter um das Vorgebirg der guten Hoffnung schiffte …

LEONCE. Und dein Vater an Cap Horn Schiffbruch litt …

VALERIO. Richtig, denn er war Nachtwächter. Doch setzte er das Horn nicht so oft an die Lippen, als die Väter edler Söhne an die Stirn.

LEONCE. Mensch, du besitzest eine himmlische Unverschämtheit. Ich fühle ein gewisses Bedürfnis, mich in nähere Berührung mit ihr zu setzen. Ich habe eine große Passion dich zu prügeln.

VALERIO. Das ist eine schlagende Antwort und ein triftiger Beweis.

LEONCE (geht auf ihn los). Oder du bist eine geschlagene

Antwort. Denn du bekommst Prügel für deine Antwort.

VALERIO (läuft weg, Leonce stolpert und fällt). Und Sie sind ein Beweis, der noch geführt werden muss, denn er fällt über seine eigenen Beine, die im Grund genommen selbst noch zu beweisen sind. Es sind höchst unwahrscheinliche Waden und sehr problematische Schenkel.

Der Staatsrat tritt auf. Leonce bleibt auf dem Boden sitzen. Valerio.

PRÄSIDENT. Eure Hoheit verzeihen ...

LEONCE. Wie mir selbst! Wie mir selbst! Ich verzeihe mir die Gutmütigkeit Sie anzuhören. Meine Herren wollen Sie nicht Platz nehmen? – Was die Leute für Gesichter machen, wenn sie das Wort Platz hören! Setzen Sie sich nur auf den Boden und genieren Sie sich nicht. Es ist doch der letzte Platz, den Sie einmal erhalten, aber er trägt niemand etwas ein, als dem Totengräber.

PRÄSIDENT (verlegen mit den Fingern schnipsend). Geruhen Eure Hoheit ...

LEONCE. Aber schnipsen Sie nicht so mit den Fingern, wenn Sie mich nicht zum Mörder machen wollen.

PRÄSIDENT (immer stärker schnipsend). Wollten gnädigst, in Betracht ...

LEONCE. Mein Gott, stecken Sie doch die Hände in die Hosen, oder setzen Sie sich darauf. Er ist ganz aus der Fassung. Sammeln Sie sich.

VALERIO. Man darf Kinder nicht während des P⟨*issens*⟩ unterbrechen, sie bekommen sonst eine Verhaltung.

LEONCE. Mann, fassen Sie sich. Bedenken Sie Ihre Familie und den Staat. Sie riskieren einen Schlagfluss, wenn Ihnen Ihre Rede zurücktritt.

PRÄSIDENT (zieht ein Papier aus der Tasche). Erlauben Eure Hoheit. –

LEONCE. Was, Sie können schon lesen? Nun denn ...

PRÄSIDENT. Dass man der zu erwartenden Ankunft von

Eurer Hoheit verlobter Braut, der durchlauchtigsten Prinzessin Lena von Pipi, auf morgen sich zu gewärtigen habe, davon lässt Ihro königliche Majestät Eure Hoheit benachrichtigen.

LEONCE. Wenn meine Braut mich erwartet, so werde ich ihr den Willen tun und sie auf mich warten lassen. Ich habe sie gestern Nacht im Traum gesehen, sie hatte ein Paar Augen so groß, dass die Tanzschuhe meiner Rosetta zu Augenbraunen darüber gepasst hätten, und auf den Wangen war kein Grübchen zu sehen, sondern ein Paar Abzugsgruben für das Lachen. Ich glaube an Träume. Träumen Sie auch zuweilen Herr Präsident? Haben Sie auch Ahnungen?

VALERIO. Versteht sich. Immer die Nacht vor dem Tag, an dem ein Braten an der königlichen Tafel verbrennt, ein Kapaun krepiert, oder Ihre königliche Majestät Leibweh bekommt.

LEONCE. A propos, hatten Sie nicht noch etwas auf der Zunge? Geben Sie nur alles von sich.

PRÄSIDENT. An dem Tage der Vermählung ist ein höchster Wille gesonnen, seine allerhöchsten Willensäußerungen in die Hände Eurer Hoheit niederzulegen.

LEONCE. Sagen Sie einem höchsten Willen, dass ich alles tun werde, das ausgenommen, was ich werde bleiben lassen, was aber jedenfalls nicht so viel sein wird, als wenn es noch einmal so viel wäre. – Meine Herren, Sie entschuldigen, dass ich Sie nicht begleite, ich habe gerade die Passion zu sitzen, aber meine Gnade ist so groß, dass ich sie ja mit den Beinen doch nicht ausmessen kann. (Er spreizt die Beine auseinander.) Herr Präsident, nehmen Sie doch das Maß, damit Sie mich später daran erinnern. Valerio gib den Herren das Geleite.

VALERIO. Das Geläute? Soll ich dem Herrn Präsidenten eine Schelle anhängen? Soll ich sie führen, als ob sie auf allen Vieren gingen?

LEONCE. Mensch, du bist nichts als ein schlechtes Wortspiel. Du hast weder Vater noch Mutter, sondern die fünf Vokale haben dich miteinander erzeugt.

VALERIO. Und Sie Prinz, sind ein Buch ohne Buchstaben, mit nichts als Gedankenstrichen. – Kommen Sie jetzt meine Herren. Es ist eine traurige Sache um das Wort kommen, will man ein Einkommen, so muss man stehlen, an ein Aufkommen ist nicht zu denken, als wenn man sich hängen lässt, ein Unterkommen findet man erst, wenn man begraben wird, und ein Auskommen hat man jeden Augenblick mit seinem Witz, wenn man nichts mehr zu sagen weiß, wie ich zum Beispiel eben, und Sie, ehe Sie noch etwas gesagt haben. Ihr Abkommen haben Sie gefunden und Ihr Fortkommen werden Sie jetzt zu suchen ersucht. (Staatsrat und Valerio ab.)

LEONCE (allein). Wie gemein ich mich zum Ritter an den armen Teufeln gemacht habe! Es steckt nun aber doch einmal ein gewisser Genuss in einer gewissen Gemeinheit. – Hm! Heiraten! Das heißt einen Ziehbrunnen leer trinken. O Shandy, alter Shandy, wer mir deine Uhr schenkte! – (Valerio kommt zurück.) Ach Valerio, hast du es gehört?

VALERIO. Nun Sie sollen König werden, das ist eine lustige Sache. Man kann den ganzen Tag spazieren fahren und den Leuten die Hüte verderben durchs viele Abziehen, man kann aus ordentlichen Menschen ordentliche Soldaten ausschneiden, so dass alles ganz natürlich wird, man kann schwarze Fräcke und weiße Halsbinden zu Staatsdienern machen, und wenn man stirbt, so laufen alle blanken Knöpfe blau an und die Glockenstricke reißen wie Zwirnfaden vom vielen Läuten. Ist das nicht unterhaltend?

LEONCE. Valerio! Valerio! Wir müssen was anderes treiben. Rate!

VALERIO. Ach die Wissenschaft, die Wissenschaft! Wir wollen Gelehrte werden! a priori? oder a posteriori?

LEONCE. A priori, das muss man bei meinem Herrn Vater lernen; und a posteriori fängt alles an, wie ein altes Märchen: es war einmal!

VALERIO. So wollen wir Helden werden. (Er marschiert trompetend und trommelnd auf und ab.) Trom – trom – pläre – plem!

LEONCE. Aber der Heroismus fuselt abscheulich und bekommt das Lazarettfieber und kann ohne Lieutenants und Rekruten nicht bestehen. Pack dich mit deiner Alexanders- und Napoleonsromantik!

VALERIO. So wollen wir Genies werden.

LEONCE. Die Nachtigall der Poesie schlägt den ganzen Tag über unserm Haupt, aber das Feinste geht zum Teufel, bis wir ihr die Federn ausreißen und in die Tinte oder die Farbe tauchen.

VALERIO. So wollen wir nützliche Mitglieder der menschlichen Gesellschaft werden.

LEONCE. Lieber möchte ich meine Demission als Mensch geben.

VALERIO. So wollen wir zum Teufel gehen.

LEONCE. Ach der Teufel ist nur des Kontrastes wegen da, damit wir begreifen sollen, dass am Himmel doch eigentlich etwas sei. (Aufspringend.) Ah Valerio, Valerio, jetzt hab ich's! Fühlst du nicht das Wehen aus Süden? Fühlst du nicht wie der tiefblaue glühende Äther auf und ab wogt, wie das Licht blitzt von dem goldnen, sonnigen Boden, von der heiligen Salzflut und von den Marmor-Säulen und Leibern? Der große Pan schläft und die ehernen Gestalten träumen im Schatten über den tiefrauschenden Wellen von dem alten Zaubrer Virgil, vom Tarantella und Tambourin und tiefen tollen Nächten, voll Masken, Fackeln und Guitarren. Ein Lazzaroni! Valerio! Ein Lazzaroni! Wir gehen nach Italien.

Vierte Szene

Ein Garten.
Prinzessin Lena im Brautschmuck. Die Gouvernante.

LENA. Ja, jetzt. Da ist es. Ich dachte die Zeit an nichts. Es ging so hin, und auf einmal richtet sich d e r Tag vor mir auf. Ich habe den Kranz im Haar – und die Glocken, die Glocken! (Sie lehnt sich zurück und schließt die Augen.) Sieh, ich wollte, der Rasen wüchse so über mich und die Bienen summten über mir hin; sieh, jetzt bin ich eingekleidet und habe Rosmarin im Haar. Gibt es nicht ein altes Lied:

Auf dem Kirchhof will ich liegen
Wie ein Kindlein in der Wiegen, –

GOUVERNANTE. Armes Kind, wie Sie bleich sind unter Ihren blitzenden Steinen.

LENA. O Gott, ich könnte lieben, warum nicht? Man geht ja so einsam und tastet nach einer Hand, die einen hielte, bis die Leichenfrau die Hände auseinandernähme und sie jedem über der Brust faltete. Aber warum schlägt man einen Nagel durch zwei Hände, die sich nicht suchten? Was hat meine arme Hand getan? (Sie zieht einen Ring vom Finger.) Dieser Ring sticht mich wie eine Natter.

GOUVERNANTE. Aber – er soll ja ein wahrer Don Carlos sein.

LENA. Aber – ein Mann –

GOUVERNANTE. Nun?

LENA. Den man nicht liebt. (Sie erhebt sich.) Pfui! Siehst du, ich schäme mich. – Morgen ist aller Duft und Glanz von mir gestreift. Bin ich denn wie die arme, hilflose Quelle, die jedes Bild, das sich über sie bückt, in ihrem stillen Grund abspiegeln muss? Die Blumen öffnen und schließen, wie sie wollen, ihre Kelche der Morgensonne und dem Abendwind. Ist denn die Tochter eines Königs weniger, als eine Blume?

GOUVERNANTE (weinend). Lieber Engel, du bist doch ein wahres Opferlamm.

LENA. Ja wohl – und der Priester hebt schon das Messer. – Mein Gott, mein Gott, ist es denn wahr, dass wir uns selbst erlösen müssen mit unserem Schmerz? Ist es denn wahr, die Welt sei ein gekreuzigter Heiland, die Sonne seine Dornenkrone und die Sterne die Nägel und Speere in seinen Füßen und Lenden?

GOUVERNANTE. Mein Kind, mein Kind! ich kann dich nicht so sehen. – Es kann nicht so gehen, es tötet dich. Vielleicht, wer weiß! Ich habe so etwas im Kopf. Wir wollen sehen. Komm! (Sie führt die Prinzessin weg.)

Zweiter Akt

Wie ist mir eine Stimme doch erklungen,
Im tiefsten Innern,
Und hat mit einem Male mir verschlungen
All mein Erinnern!

Adalbert von Chamisso

Erste Szene

Freies Feld. Ein Wirtshaus im Hintergrund.
Leonce und Valerio, der einen Pack trägt, treten auf.

VALERIO (keuchend). Auf Ehre, Prinz, die Welt ist doch ein ungeheuer weitläuftiges Gebäude.

LEONCE. Nicht doch! Nicht doch! Ich wage kaum die Hände auszustrecken, wie in einem engen Spiegelzimmer, aus Furcht überall anzustoßen, dass die schönen Figuren in Scherben auf dem Boden lägen und ich vor der kahlen, nackten Wand stünde.

VALERIO. Ich bin verloren.

LEONCE. Da wird niemand einen Verlust dabei haben als wer dich findet.

VALERIO. Ich werde mich wenigstens in den Schatten meines Schattens stellen.

LEONCE. Du verflüchtigst dich ganz an der Sonne. Siehst du die schöne Wolke da oben? Sie ist wenigstens ein Viertel von dir. Sie sieht ganz wohlbehaglich auf deine gröbere materielle Stoffe herab.

VALERIO. Die Wolke könnte Ihrem Kopf nichts schaden, wenn man Ihnen denselben scheren und sie Tropfen für Tropfen darauf fallen ließ. – Ein köstlicher Einfall. Wir sind schon durch ein Dutzend Fürstentümer, durch ein halbes Dutzend Großherzogtümer und durch ein paar

Königreiche gelaufen und das in der größten Übereilung in einem halben Tage und warum? Weil man König werden und eine schöne Prinzessin heiraten soll. Und Sie leben noch in einer solchen Lage? Ich begreife Ihre Resignation nicht. Ich begreife nicht, dass Sie nicht Arsenik genommen, sich auf das Geländer des Kirchturms gestellt und sich eine Kugel durch den Kopf gejagt haben, um es ja nicht zu verfehlen.

LEONCE. Aber Valerio, die Ideale! Ich habe das Ideal eines Frauenzimmers in mir und muss es suchen. Sie ist unendlich schön und unendlich geistlos. Die Schönheit ist da so hülflos, so rührend wie ein neugebornes Kind. Es ist ein köstlicher Kontrast. Diese himmlisch stupiden Augen, dieser göttlich einfältige Mund, dieses schafnasige griechische Profil, dieser geistige Tod in diesem geistigen Leib.

VALERIO. Teufel! Da sind wir schon wieder auf der Grenze; das ist ein Land wie eine Zwiebel, nichts als Schalen, oder wie ineinandergesteckte Schachteln, in der größten sind nichts als Schachteln und in der kleinsten ist gar nichts. (Er wirft seinen Pack zu Boden.) Soll denn dieser Pack mein Grabstein werden? Sehen Sie Prinz ich werde philosophisch, ein Bild des menschlichen Lebens. Ich schleppe diesen Pack mit wunden Füßen durch Frost und Sonnenbrand, weil ich abends ein reines Hemd anziehen will und wenn endlich der Abend kommt, so ist meine Stirn gefurcht, meine Wange hohl, mein Auge dunkel und ich habe grade noch Zeit, mein Hemd anzuziehen, als Totenhemd. Hätte ich nun nicht gescheiter getan, ich hätte mein Bündel vom Stecken gehoben und es in der ersten besten Kneipe verkauft, und hätte mich dafür betrunken und im Schatten geschlafen, bis es Abend geworden wäre, und hätte nicht geschwitzt und mir keine Leichdörner gelaufen? Und Prinz, jetzt kommt die Anwendung und die Praxis. Aus lauter Schamhaftigkeit wollen wir jetzt auch den inneren Menschen bekleiden und Rock und Hosen inwendig anziehen. (Beide gehen auf das Wirtshaus los.) Ei du lieber Pack, welch ein köstlicher Duft, welche Weindüfte und Bratengerüche! Ei ihr lieben Hosen, wie wurzelt ihr im Boden und grünt und blüht und die langen schweren Trauben hängen mir ins Maul und der Most gärt unter der Kelter. (Sie gehen ab.)

Prinzessin Lena. Die Gouvernante.

GOUVERNANTE. Es muss ein bezauberter Tag sein, die Sonne geht nicht unter, und es ist so unendlich lang seit unsrer Flucht.

LENA. Nicht doch, meine Liebe, die Blumen sind ja kaum welk, die ich zum Abschied brach, als wir aus dem Garten gingen.

GOUVERNANTE. Und wo sollen wir ruhen? Wir sind noch auf gar nichts gestoßen. Ich sehe kein Kloster, keine Eremiten, keine Schäfer.

LENA. Wir haben alles wohl anders geträumt mit unsern Büchern hinter der Mauer unsers Gartens, zwischen unsern Myrten und Oleandern.

GOUVERNANTE. O die Welt ist abscheulich! An einen irrenden Königssohn ist gar nicht zu denken.

LENA. O sie ist schön und so weit, so unendlich weit. Ich möchte immer so fort gehen Tag und Nacht. Es rührt sich nichts. Was ein roter Schein über den Wiesen spielt von den Kuckucksblumen und die fernen Berge liegen auf der Erde wie ruhende Wolken.

GOUVERNANTE. Du mein Jesus, was wird man sagen? Und doch ist es so zart und weiblich! Es ist eine Entsagung. Es ist wie die Flucht der heiligen Odilia. Aber wir müssen ein Obdach suchen. Es wird Abend.

LENA. Ja die Pflanzen legen ihre Fiederblättchen zum Schlaf zusammen und die Sonnenstrahlen wiegen sich an den Grashalmen wie müde Libellen.

Zweite Szene

Das Wirtshaus auf einer Anhöhe an einem Fluss, weite Aussicht. Der Garten vor demselben. Valerio. Leonce.

VALERIO. Nun Prinz, liefern Ihre Hosen nicht ein köstliches Getränk? Laufen Ihnen Ihre Stiefel nicht mit der größten Leichtigkeit die Kehle hinunter?

LEONCE. Siehst du die alten Bäume, die Hecken, die Blumen, das alles hat seine Geschichten, seine lieblichen heimlichen Geschichten. Siehst du die greisen freundlichen Gesichter unter den Reben an der Haustür? Wie sie sitzen und sich bei den Händen halten und Angst haben, dass sie alt sind und die Welt noch so jung ist. O Valerio, und ich bin so jung und die Welt ist so alt. Ich bekomme manchmal eine Angst um mich und könnte mich in eine Ecke setzen und heiße Tränen weinen aus Mitleid mit mir.

VALERIO (gibt ihm ein Glas). Nimm diese Glocke, diese Taucherglocke und senke dich in das Meer des Weines, dass es Perlen über dich schlägt. Sieh wie die Elfen über dem Kelch der Weinblumen schweben, goldbeschuht, die Cymbeln schlagend.

LEONCE (aufspringend). Komm Valerio, wir müssen was treiben, was treiben. Wir wollen uns mit tiefen Gedanken abgeben; wir wollen untersuchen wie es kommt, dass der Stuhl auf drei Beinen steht und nicht auf zwei, dass man sich die Nase mit Hülfe der Hände putzt und nicht wie die Fliegen mit den Füßen. Komm, wir wollen Ameisen zergliedern, Staubfäden zählen; ich werde es doch noch zu irgendeiner fürstlichen Liebhaberei bringen. Ich werde doch noch eine Kinderrassel finden, die mir erst aus der Hand fällt, wenn ich Flocken lese und an der Decke zupfe. Ich habe noch eine gewisse Dosis Enthusiasmus zu verbrauchen; aber wenn ich alles recht warm gekocht habe, so brauche ich eine unendliche Zeit um einen Löffel zu finden, mit dem ich das Gericht esse und darüber steht es ab.

VALERIO. Ergo bibamus. Diese Flasche ist keine Geliebte, keine Idee, sie macht keine Geburtsschmerzen, sie wird nicht langweilig, wird nicht treulos, sie bleibt eins vom ersten Tropfen bis zum letzten. Du brichst das Siegel und alle Träume, die in ihr schlummern, sprühen dir entgegen.

LEONCE. O Gott! Die Hälfte meines Lebens soll ein Gebet sein, wenn mir nur ein Strohhalm beschert wird, auf dem ich reite, wie auf einem prächtigen Ross, bis ich selbst auf dem Stroh liege. – Welch unheimlicher Abend. Da unten ist alles still und da oben wechseln und ziehen die Wolken und der Sonnenschein kommt wieder. Sieh, was seltsame Gestalten sich dort jagen, sieh die langen weißen Schatten mit den entsetzlich magern Beinen und Fledermausschwingen und alles so rasch, so wirr und da unten rührt sich kein Blatt, kein Halm. Die Erde hat sich ängstlich zusammengeschmiegt, wie ein Kind und über ihre Wiege schreiten die Gespenster.

VALERIO. Ich weiß nicht, was Ihr wollt, mir ist ganz behaglich zu Mut. Die Sonne sieht aus wie ein Wirtshausschild und die feurigen Wolken darüber, wie die Aufschrift: Wirtshaus zur goldnen Sonne. Die Erde und das Wasser da unten sind wie ein Tisch auf dem Wein verschüttet ist und wir liegen darauf wie Spielkarten, mit denen Gott und der Teufel aus Langeweile eine Partie machen und Ihr seid der Kartenkönig und ich bin ein Kartenbube, es fehlt nur noch eine Dame, eine schöne Dame, mit einem großen Lebkuchenherz auf der Brust und einer mächtigen Tulpe, worin die lange Nase sentimental versinkt, (die Gouvernante und die Prinzessin treten auf) und – bei Gott da ist sie! Es ist aber eigentlich keine Tulpe, sondern eine Prise Tabak und es ist eigentlich keine Nase, sondern ein Rüssel. (Zur Gouvernante.) Warum schreiten Sie, Werteste, so eilig, dass man Ihre weiland Waden bis zu Ihren respektabeln Strumpfbändern sieht?

GOUVERNANTE (heftig erzürnt, bleibt stehen). Warum reißen Sie, Geehrtester, das Maul so weit auf, dass Sie einem ein Loch in die Aussicht machen?

VALERIO. Damit Sie, Geehrteste, sich die Nase am Horizont nicht blutig stoßen. Ihre Nase ist wie der Turm auf Libanon, der gen Damaskus steht.

LENA (zur Gouvernante). Meine Liebe, ist denn der Weg so lang?

LEONCE (träumend vor sich hin). O, jeder Weg ist lang! Das Picken der Totenuhr in unserer Brust ist langsam und jeder Tropfen Blut misst seine Zeit und unser Leben ist ein schleichend Fieber. Für müde Füße ist jeder Weg zu lang …

LENA (die ihm ängstlich sinnend zuhört). Und für müde Augen jedes Licht zu scharf und müde Lippen jeder Hauch zu schwer (lächelnd) und müde Ohren jedes Wort zu viel. (Sie tritt mit der Gouvernante ins Haus.)

LEONCE. O lieber Valerio! Könnte ich nicht auch sagen: »Sollte nicht dies und ein Wald von Federbüschen, nebst ein Paar gepufften Rosen auf meinen Schuhen?« Ich hab es glaub ich ganz melancholisch gesagt. Gott sei Dank, dass ich anfange mit der Melancholie niederzukommen. Die Luft ist nicht mehr so hell und kalt, der Himmel senkt sich glühend dicht um mich und schwere Tropfen fallen. – O diese Stimme: Ist denn der Weg so lang? Es reden viele Stimmen über die Erde und man meint sie sprächen von andern Dingen, aber ich hab sie verstanden. Sie ruht auf mir wie der Geist, da er über den Wassern schwebte, eh das Licht ward. Welch Gären in der Tiefe, welch Werden in mir, wie sich die Stimme durch den Raum gießt. – Ist denn der Weg so lang? (Geht ab.)

VALERIO. Nein. Der Weg zum Narrenhaus ist nicht so lang, er ist leicht zu finden, ich kenne alle Fußpfade, alle Vicinalwege und Chausseen dorthin. Ich sehe ihn schon auf einer breiten Allee dahin, an einem eiskalten Wintertag den Hut unter dem Arm, wie er sich in die langen Schatten unter die kahlen Bäume stellt und mit dem Schnupftuch fächelt. – Er ist ein Narr! (Folgt ihm.)

Dritte Szene

Ein Zimmer.
Lena. Die Gouvernante.

GOUVERNANTE. Denken Sie nicht an den Menschen.

LENA. Er war so alt unter seinen blonden Locken. Den Frühling auf den Wangen, den Winter im Herzen. Das ist traurig. Der müde Leib findet ein Schlafkissen überall, doch wenn der Geist müd ist, wo soll er ruhen? Es kommt mir ein entsetzlicher Gedanke, ich glaube es gibt Menschen, die unglücklich sind, unheilbar, bloß weil *sie sind*. (Sie erhebt sich.)

GOUVERNANTE. Wohin mein Kind?

LENA. Ich will hinunter in den Garten.

GOUVERNANTE. Aber –

LENA. Aber, liebe Mutter, du weißt man hätte mich eigentlich in eine Scherbe setzen sollen. Ich brauche Tau und Nachtluft wie die Blumen. Hörst du die Harmonieen des Abends? Wie die Grillen den Tag einsingen und die Nachtviolen ihn mit ihrem Duft einschläfern! Ich kann nicht im Zimmer bleiben. Die Wände fallen auf mich.

Vierte Szene

Der Garten. Nacht und Mondschein. Man sieht Lena auf dem Rasen sitzend.

VALERIO (in einiger Entfernung). Es ist eine schöne Sache um die Natur, sie ist aber doch nicht so schön, als wenn es keine Schnaken gäbe, die Wirtsbetten etwas reinlicher wären und die Totenuhren nicht so in den Wänden pickten. Drin schnarchen die Menschen und draußen quaken die Frösche, drin pfeifen die Hausgrillen und draußen die Feldgrillen. Lieber Rasen, dies ist ein rasender Entschluss. (Er legt sich auf den Rasen nieder.)

LEONCE (tritt auf). O Nacht, balsamisch wie die erste, die auf das Paradies herabsank. (Er bemerkt die Prinzessin und nähert sich ihr leise.)

LENA (spricht vor sich hin). Die Grasmücke hat im Traum gezwitschert, die Nacht schläft tiefer, ihre Wange wird bleicher und ihr Atem stiller. Der Mond ist wie ein schlafendes Kind, die goldnen Locken sind ihm im Schlaf über das liebe Gesicht heruntergefallen. – O sein Schlaf ist Tod. Wie der tote Engel auf seinem dunkeln Kissen ruht und die Sterne gleich Kerzen um ihn brennen. Armes Kind, kommen die schwarzen Männer bald dich holen? Wo ist deine Mutter? Will sie dich nicht noch einmal küssen? Ach es ist traurig, tot und so allein.

LEONCE. Steh auf in deinem weißen Kleid und wandle hinter der Leiche durch die Nacht und singe ihr das Totenlied.

LENA. Wer spricht da?

LEONCE. Ein Traum.

LENA. Träume sind selig.

LEONCE. So träume dich selig, und lass mich dein seliger Traum sein.

LENA. Der Tod ist der seligste Traum.

LEONCE. So lass mich dein Todesengel sein. Lass meine Lippen sich gleich seinen Schwingen auf deine Augen senken. (Er küsst sie.) Schöne Leiche, du ruhst so lieblich auf dem schwarzen Bahrtuch der Nacht, dass die Natur das Leben hasst und sich in den Tod verliebt.

LENA. Nein, lass mich. (Sie springt auf und entfernt sich rasch.)

LEONCE. Zu viel! zu viel! Mein ganzes Sein ist in dem einen Augenblick. Jetzt stirb. Mehr ist unmöglich. Wie frischatmend, schönheitglänzend ringt die Schöpfung sich aus dem Chaos entgegen. Die Erde ist eine Schale von dunkelm Gold, wie schäumt das Licht in ihr und flutet über ihren Rand und hellauf perlen daraus die Sterne. Meine Lippen saugen sich daran: dieser eine Tropfen Seligkeit macht mich zu einem köstlichen Gefäß. Hinab heiliger Becher! (Er will sich in den Fluss stürzen.)

VALERIO (springt auf und umfasst ihn). Halt Serenissime!

LEONCE. Lass mich!

VALERIO. Ich werde Sie lassen, sobald Sie gelassen sind und das W a s s e r zu lassen versprechen.

LEONCE. Dummkopf!

VALERIO. Ist denn Eure Hoheit noch nicht über die Lieutenantsromantik hinaus, das Glas zum Fenster hinauszuwerfen, womit man die Gesundheit seiner Geliebten getrunken?

LEONCE. Ich glaube halbwegs du hast Recht.

VALERIO. Trösten Sie sich. Wenn Sie auch nicht heut Nacht unter dem Rasen schlafen, so schlafen Sie wenigstens darauf. Es wäre ein ebenso selbstmörderischer Versuch in eins von den Betten gehen zu wollen. Man liegt auf dem Stroh wie ein Toter und wird von den Flöhen gestochen wie ein Lebendiger.

LEONCE. Meinetwegen. (Er legt sich ins Gras.) Mensch, du hast mich um den schönsten Selbstmord gebracht.

Ich werde in meinem Leben keinen so vorzüglichen Augenblick mehr dazu finden und das Wetter ist so vortrefflich. Jetzt bin ich schon aus der Stimmung. Der Kerl hat mir mit seiner gelben Weste und seinen himmelblauen Hosen alles verdorben. – Der Himmel beschere mir einen recht gesunden, plumpen Schlaf.

VALERIO. Amen. – Und ich habe ein Menschenleben gerettet und werde mir mit meinem guten Gewissen heut Nacht den Leib warm halten. Wohl bekomm's Valerio!

Dritter Akt

Erste Szene

Leonce. Valerio.

VALERIO. Heiraten? Seit wann hat es Eure Hoheit zum ewigen Kalender gebracht?

LEONCE. Weißt du auch, Valerio, dass selbst der Geringste unter den Menschen so groß ist, dass das Leben noch viel zu kurz ist, um ihn lieben zu können? Und dann kann ich doch einer gewissen Art von Leuten, die sich einbilden, dass nichts so schön und heilig sei, dass sie es nicht noch schöner und heiliger machen müssten, die Freude lassen. Es liegt ein gewisser Genuss in dieser lieben Arroganz. Warum soll ich ihnen denselben nicht gönnen?

VALERIO. Sehr human und philobestialisch. Aber weiß sie auch, wer Sie sind?

LEONCE. Sie weiß nur dass sie mich liebt.

VALERIO. Und weiß Eure Hoheit auch, wer sie ist?

LEONCE. Dummkopf! Frag doch die Nelke und die Tauperle nach ihrem Namen.

VALERIO. Das heißt, sie ist überhaupt etwas, wenn das nicht schon zu unzart ist und nach dem Signalement schmeckt. – Aber, wie soll das gehn? Hm! – Prinz, bin ich Minister, wenn Sie heute vor Ihrem Vater mit der Unaussprechlichen, Namenlosen, mittelst des Ehesegens zusammengeschmiedet werden? Ihr Wort?

LEONCE. Mein Wort!

VALERIO. Der arme Teufel Valerio empfiehlt sich Sr. Excellenz dem Herrn Staatsminister Valerio von Valerienthal. – »Was will der Kerl? Ich kenne ihn nicht. Fort Schlingel!« (Er läuft weg, Leonce folgt ihm.)

Zweite Szene

Freier Platz vor dem Schlosse des Königs Peter.
Der Landrat. Der Schulmeister. Bauern im Sonntagsputz,
Tannenzweige haltend.

LANDRAT. Lieber Herr Schulmeister, wie halten sich Eure Leute?

SCHULMEISTER. Sie halten sich so gut in ihren Leiden, dass sie sich schon seit geraumer Zeit aneinander halten. Sie gießen brav Spiritus an sich, sonst könnten sie sich in der Hitze unmöglich so lange halten. Courage, Ihr Leute! Streckt Eure Tannenzweige grad vor Euch hin, dass man meint Ihr wärt ein Tannenwald und Eure Nasen die Erdbeeren und Eure Dreimaster die Hörner vom Wildpret und Eure hirschledernen Hosen der Mondschein darin, und merkt's Euch, der Hinterste läuft immer wieder vor den Vordersten, dass es aussieht als wärt Ihr ins Quadrat erhoben.

LANDRAT. Und Schulmeister, Ihr stehet vor die Nüchternheit.

SCHULMEISTER. Versteht sich, denn ich kann vor Nüchternheit kaum mehr stehen.

LANDRAT. Gebt Acht, Leute, im Programm steht: sämtliche Untertanen werden von freien Stücken reinlich gekleidet, wohlgenährt, und mit zufriedenen Gesichtern sich längs der Landstraße aufstellen. Macht uns keine Schande!

SCHULMEISTER. Seid standhaft! Kratzt Euch nicht hinter den Ohren und schneuzt Euch die Nasen nicht mit den Fingern, solang das hohe Paar vorbeifährt und zeigt die gehörige Rührung, oder es werden rührende Mittel gebraucht werden. Erkennt was man für Euch tut, man hat Euch grade so gestellt, dass der Wind von der Küche über Euch geht und Ihr auch einmal in Eurem Leben einen Braten riecht. Könnt Ihr noch Eure Lektion? He! Vi!

BAUERN. Vi!
SCHULMEISTER. Vat!
BAUERN. Vat!
SCHULMEISTER. Vivat!
BAUERN. Vivat!
SCHULMEISTER. So Herr Landrat. Sie sehen wie die Intelligenz im Steigen ist. Bedenken Sie, es ist Latein. Wir geben aber auch heut Abend einen transparenten Ball mittelst der Löcher in unseren Jacken und Hosen, und schlagen uns mit unseren Fäusten Cocarden an die Köpfe.

Dritte Szene

Großer Saal. Geputzte Herren und Damen sorgfältig gruppiert.
Der Ceremonienmeister mit einigen Bedienten auf dem Vordergrund.

CEREMONIENMEISTER. Es ist ein Jammer. Alles geht zu Grund. Die Braten schnurren ein. Alle Glückwünsche stehen ab. Alle Vatermörder legen sich um, wie melancholische Schweinsohren. Den Bauern wachsen die Nägel und der Bart wieder. Den Soldaten gehn die Locken auf. Von den zwölf Unschuldigen ist keine, die nicht das horizontale Verhalten dem senkrechten vorzöge. Sie sehen in ihren weißen Kleidchen aus wie erschöpfte Seidenhasen und der Hofpoet grunzt um sie herum wie ein bekümmertes Meerschweinchen. Die Herrn Offiziere kommen um all ihre Haltung. (Zu einem Diener.) Sage doch dem Herrn Candidaten, er möge seine Buben einmal das Wasser abschlagen lassen. – Der arme Herr Hofprediger! Sein Frack lässt den Schweif ganz melancholisch hängen. Ich glaube er hat Ideale und verwandelt alle Kammerherrn in Kammerstühle. Er ist müde vom Stehen.

ZWEITER BEDIENTE. Alles Fleisch verdirbt vom Stehen. Auch der Hofprediger ist ganz abgestanden, seit er heut Morgen aufgestanden.

CEREMONIENMEISTER. Die Hofdamen stehen da, wie Gradierbäume, das Salz krystallisiert an ihren Halsketten.

ZWEITER BEDIENTE. Sie machen's sich wenigstens bequem. Man kann ihnen nicht nachsagen, dass sie auf den Schultern tragen. Wenn sie nicht offenherzig sind, so sind sie doch offen bis zum Herzen.

CEREMONIENMEISTER. Ja, sie sind gute Karten vom türkischen Reich, man sieht die Dardanellen und das Marmormeer. Fort, Ihr Schlingel! An die Fenster! Da kömmt Ihro Majestät.

(König Peter und der Staatsrat treten ein.)

PETER. Also auch die Prinzessin ist verschwunden? Hat man noch keine Spur von unserm geliebten Erbprinzen? Sind meine Befehle befolgt? Werden die Grenzen beobachtet?

CEREMONIENMEISTER. Ja, Majestät. Die Aussicht von diesem Saal gestattet uns die strengste Aufsicht. (Zu dem ersten Bedienten.) Was hast du gesehen?

ERSTER BEDIENTE. Ein Hund, der seinen Herrn sucht, ist durch das Reich gelaufen.

CEREMONIENMEISTER (zu einem andern). Und du?

ZWEITER BEDIENTE. Es geht jemand auf der Nordgrenze spazieren, aber es ist nicht der Prinz, ich könnte ihn erkennen.

CEREMONIENMEISTER. Und du?

DRITTER DIENER. Sie verzeihen, nichts.

CEREMONIENMEISTER. Das ist sehr wenig. Und du?

VIERTER DIENER. Auch nichts.

CEREMONIENMEISTER. Das ist noch weniger.

PETER. Aber, Staatsrat, habe ich nicht den Beschluss gefasst, dass meine königliche Majestät sich an diesem Tag freuen und dass an ihm die Hochzeit gefeiert werden sollte? War das nicht unser festester Entschluss?

PRÄSIDENT. Ja, Eure Majestät, so ist es protokolliert und aufgezeichnet.

KÖNIG. Und würde ich mich nicht kompromittieren, wenn ich meinen Beschluss nicht ausführte?

PRÄSIDENT. Wenn es anders für Eure Majestät möglich wäre sich zu kompromittieren, so wäre dies ein Fall, worin sie sich kompromittieren könnte.

KÖNIG PETER. Habe ich nicht mein königliches Wort gegeben? Ja, ich werde meinen Beschluss sogleich ins Werk setzen, ich werde mich freuen. (Er reibt sich die Hände.) O ich bin außerordentlich froh!

PRÄSIDENT. Wir teilen sämtlich die Gefühle Eurer Majestät, soweit es für Untertanen möglich und schicklich ist.

PETER. O ich weiß mir vor Freude nicht zu helfen. Ich werde meinen Kammerherrn rote Röcke machen lassen, ich werde einige Cadetten zu Lieutenants machen, ich werde meinen Untertanen erlauben – aber, aber, die Hochzeit? Lautet die andere Hälfte des Beschlusses nicht, dass die Hochzeit gefeiert werden sollte?

PRÄSIDENT. Ja, Eure Majestät.

PETER. Ja, wenn aber der Prinz nicht kommt und die Prinzessin auch nicht?

PRÄSIDENT. Ja, wenn der Prinz nicht kommt und die Prinzessin auch nicht, – dann – dann

PETER. Dann, dann?

PRÄSIDENT. Dann können sie sich allerdings nicht heiraten.

KÖNIG. Halt, ist der Schluss logisch? Wenn – dann – richtig – Aber mein Wort, mein königliches Wort!

PRÄSIDENT. Tröste sich Eure Majestät mit andern Majestäten. Ein königliches Wort ist ein Ding, – ein Ding, – ein Ding, – das nichts ist.

PETER (zu den Dienern). Seht Ihr noch nichts?

DIENER. Eure Majestät, nichts, gar nichts.

PETER. Und ich hatte beschlossen mich so zu freuen, grade mit dem Glockenschlag zwölf wollte ich anfangen und wollte mich freuen volle zwölf Stunden – ich werde ganz melancholisch.

PRÄSIDENT. Alle Untertanen werden aufgefordert die Gefühle Ihrer Majestät zu teilen.

CEREMONIENMEISTER. Denjenigen, welche kein Schnupftuch bei sich haben, ist das Weinen jedoch Anstands halber untersagt.

ERSTER BEDIENTE. Halt! Ich sehe was! Es ist etwas wie ein Vorsprung, wie eine Nase, das Übrige ist noch nicht über der Grenze; und dann seh ich noch einen Mann und dann noch zwei Personen entgegengesetzten Geschlechts.

CEREMONIENMEISTER. In welcher Richtung?

ERSTER BEDIENTE. Sie kommen näher. Sie gehn auf das Schloss zu. Da sind sie.

(Valerio, Leonce, die Gouvernante und die Prinzessin treten maskiert auf.)

PETER. Wer seid Ihr?

VALERIO. Weiß ich's? (Er nimmt langsam hintereinander mehrere Masken ab.) Bin ich das? oder das? oder das? Wahrhaftig ich bekomme Angst, ich könnte mich so ganz auseinanderschälen und blättern.

PETER (verlegen). Aber – aber etwas müsst Ihr dann doch sein?

VALERIO. Wenn Eure Majestät es so befehlen. Aber meine Herren hängen Sie alsdann die Spiegel herum und verstecken Sie Ihre blanken Knöpfe etwas und sehen Sie mich nicht so an, dass ich mich in Ihren Augen spiegeln muss, oder ich weiß wahrhaftig nicht mehr, wer ich eigentlich bin.

PETER. Der Mann bringt mich in Konfusion, zur Desperation. Ich bin in der größten Verwirrung.

VALERIO. Aber eigentlich wollte ich einer hohen und geehrten Gesellschaft verkündigen, dass hiemit die zwei weltberühmten Automaten angekommen sind und dass ich vielleicht der dritte und merkwürdigste von beiden bin, wenn ich eigentlich selbst recht wüsste, wer ich wäre, worüber man übrigens sich nicht wundern dürfte, da ich selbst gar nichts von dem weiß, was ich rede, ja auch nicht einmal weiß, dass ich es nicht weiß, so dass es höchst wahrscheinlich ist, dass man mich nur so reden l ä s s t, und es eigentlich nichts als Walzen und Windschläuche sind, die das alles sagen. (Mit schnarrendem Ton.) Sehen Sie hier meine Herren und Damen, zwei Personen beiderlei Geschlechts, ein Männchen und ein Weibchen, einen Herr und eine Dame. Nichts als Kunst und Mechanismus, nichts als Pappendeckel und Uhrfedern. Jede hat eine feine, feine Feder von Rubin unter dem Nagel der kleinen Zehe am rechten Fuß, man drückt ein klein wenig und die Mechanik läuft volle fünfzig Jahre. Diese Personen sind so vollkommen gearbeitet, dass man sie von andern Menschen gar nicht unterscheiden könnte, wenn man nicht wüsste, dass sie bloße Pappdeckel sind, man könnte sie eigentlich zu Mitgliedern der menschlichen Gesellschaft machen. Sie sind sehr edel, denn sie sprechen hochdeutsch. Sie sind sehr moralisch, denn sie stehen auf den Glockenschlag auf, essen auf den Glockenschlag zu Mittag, und gehen auf den Glockenschlag zu Bett, auch haben sie gute Verdauung, was beweist, dass sie ein gutes Gewissen haben. Sie haben ein feines sittliches Gefühl, denn die Dame hat gar kein Wort für den Begriff Beinkleider, und dem Herrn ist es rein unmöglich, hinter einem Frauenzimmer eine Treppe hinauf oder vor ihm hinunterzugehen. Sie sind sehr gebildet, denn die Dame singt alle neuen Opern und der Herr trägt Manschetten. Geben Sie Acht, meine Herren und Damen, sie sind jetzt in einem interessanten Stadium, der Mechanismus der Liebe fängt an sich zu äußern, der Herr hat der Dame schon einigemal den Shawl getragen, die Dame hat schon einigemal die Augen verdreht und gen Himmel geblickt. Beide haben schon mehrmals geflüstert: Glaube, Liebe, Hoffnung! beide sehen bereits ganz akkordiert aus, es fehlt nur noch das einzige Wörtchen: Amen.

PETER (den Finger an die Nase legend). In effigie? in effigie? Präsident, wenn man einen Menschen in effigie hängen lässt, ist das nicht ebenso gut, als wenn er ordentlich gehängt würde?

PRÄSIDENT. Verzeihen, Eure Majestät, es ist noch viel besser, denn es geschieht ihm kein Leid dabei, und er wird d e n n o c h gehängt.

PETER. Jetzt hab ich's. Wir feiern die Hochzeit in effigie. (Auf Leonce und Lena deutend.) Das ist der Prinz, das ist die Prinzessin. Ich werde meinen Beschluss durchsetzen, ich werde mich freuen. Lasst die Glocken läuten, macht Eure Glückwünsche zurecht, hurtig Herr Hofprediger.

(Der Hofprediger tritt vor, räuspert sich, blickt einigemal gen Himmel.)

VALERIO. Fang an! Lass deine vermaledeiten Gesichter und fang an! Wohlauf!

HOFPREDIGER (in der größten Verwirrung). Wenn wir, oder, aber

VALERIO. Sintemal und alldieweil –

HOFPREDIGER. Denn –

VALERIO. Es war vor Erschaffung der Welt –

HOFPREDIGER. Dass –

VALERIO. Gott lange Weile hatte –

PETER. Machen Sie es nur kurz, Bester.

HOFPREDIGER (sich fassend). Geruhen Eure Hoheit Prinz Leonce vom Reiche Popo und geruhen Eure Hoheit Prinzessin Lena vom Reiche Pipi, und geruhen Eure Hoheiten gegenseitig sich beiderseitig einander haben zu wollen, so sagen Sie ein lautes und vernehmliches Ja.

LENA und LEONCE. Ja.

HOFPREDIGER. So sage ich Amen.

VALERIO. Gut gemacht, kurz und bündig, so wäre dann das Männlein und das Fräulein erschaffen und alle Tiere des Paradieses stehen um sie.

(Leonce nimmt die Maske ab.)

ALLE. Der Prinz!

PETER. Der Prinz! Mein Sohn! Ich bin verloren, ich bin betrogen! (Er geht auf die Prinzessin los.) Wer ist die Person? Ich lasse alles für ungültig erklären.

GOUVERNANTE (nimmt der Prinzessin die Maske ab, triumphierend). Die Prinzessin!

LEONCE. Lena?

LENA. Leonce?

LEONCE. Ei Lena, ich glaube das war die Flucht in das Paradies. Ich bin betrogen.

LENA. Ich bin betrogen.

LEONCE. O Zufall!

LENA. O Vorsehung!

VALERIO. Ich muss lachen, ich muss lachen. Eure Hoheiten sind wahrhaftig durch den Zufall einander zugefallen, ich hoffe Sie werden, dem Zufall zu Gefallen, Gefallen aneinander finden.

GOUVERNANTE. Dass meine alten Augen endlich das sehen konnten! Ein irrender Königssohn! Jetzt sterb ich ruhig.

PETER. Meine Kinder ich bin gerührt, ich weiß mich vor Rührung kaum zu lassen. Ich bin der glücklichste Mann! Ich lege aber auch hiermit feierlichst die Regierung in deine Hände, mein Sohn, und werde sogleich ungestört jetzt bloß nur noch zu denken anfangen. Mein Sohn, du überlässest mir diese Weisen (er deutet auf den Staatsrat), damit sie mich in meinen Bemühungen unterstützen. Kommen Sie meine Herren, wir müssen denken, ungestört denken. (Er entfernt sich mit dem Staatsrat.) Der Mensch hat mich vorhin konfus gemacht, ich muss mir wieder heraushelfen.

LEONCE (zu den Anwesenden). Meine Herren, meine Gemahlin und ich bedauern unendlich, dass Sie uns heute so lange zu Diensten gestanden sind. Ihre Stellung ist so traurig, dass wir um keinen Preis Ihre Standhaftigkeit länger auf die Probe stellen möchten. Gehn Sie jetzt nach Hause, aber vergessen Sie Ihre Reden, Predigten und Verse nicht, denn morgen fangen wir in aller Ruhe und Gemütlichkeit den Spaß noch einmal von vorn an. Auf Wiedersehn!

(Alle entfernen sich, Leonce, Lena, Valerio und die Gouvernante ausgenommen.)

LEONCE. Nun Lena, siehst du jetzt, wie wir die Taschen voll haben, voll Puppen und Spielzeug? Was wollen wir damit anfangen, wollen wir ihnen Schnurrbärte machen und ihnen Säbel anhängen? Oder wollen wir ihnen Fräcke anziehen, und sie infusorische Politik und Diplomatie treiben lassen und uns mit dem Mikroskop daneben setzen? Oder hast du Verlangen nach einer Drehorgel auf der milchweiße ästhetische Spitzmäuse herumhuschen? Wollen wir ein Theater bauen? (Lena lehnt sich an ihn und schüttelt den Kopf.) Aber ich weiß besser was du willst, wir lassen alle Uhren zerschlagen, alle Kalender verbieten und zählen Stunden und Monden nur nach der Blumenuhr, nur nach Blüte und Frucht. Und dann umstellen wir das Ländchen mit Brennspiegeln, dass es keinen Winter mehr gibt und die uns im Sommer bis Ischia und Capri hinaufdestillieren, und wir das ganze Jahr zwischen Rosen und Veilchen, zwischen Orangen und Lorbeern stecken.

VALERIO. Und ich werde Staatsminister und es wird ein Dekret erlassen, dass wer sich Schwielen in die Hände schafft unter Kuratel gestellt wird, dass wer sich krank arbeitet kriminalistisch strafbar ist, dass jeder der sich rühmt sein Brot im Schweiße seines Angesichts zu essen, für verrückt und der menschlichen Gesellschaft gefährlich erklärt wird und dann legen wir uns in den Schatten und bitten Gott um Makkaroni, Melonen und Feigen, um musikalische Kehlen, klassische Leiber und eine komm⟨*o*⟩de Religion.

Zu dieser Ausgabe

Georg Büchner verfasste im Frühjahr 1834 gemeinsam mit Friedrich Ludwig Weidig die revolutionäre Flugschrift *Der Hessische Landbote* und floh im März 1835 vor der drohenden Verhaftung von Darmstadt nach Straßburg. Das Revolutionsdrama *Dantons Tod*, das er vor der Flucht an einen Frankfurter Verlag geschickt hatte, machte ihn in der literarischen Öffentlichkeit bekannt. Im Sommer 1836 beförderte er seine naturwissenschaftliche Dissertation, die übrigen Werke, mit denen er später ebenso wie mit *Dantons Tod* Weltruhm erlangte, wurden nach seinem Tod (19. Februar 1837) veröffentlicht: das Lustspiel *Leonce und Lena* 1838, die Erzählung *Lenz* 1839, das Drama *Woyzeck* 1875 in Auszügen und 1878 vollständig.

Woyzeck

Bei *Woyzeck* liegen uns zwar Dichterhandschriften vor, aber Büchner hat das Drama nicht »vollendet«, sondern nur Entwürfe hinterlassen. Leseausgaben wie die hier vorgelegte täuschen notgedrungen über diesen Entwurfscharakter hinweg oder geben allenfalls spärliche Hinweise darauf. Diese seien hier kurz erläutert und durch weitere Hinweise ergänzt.

(1) Unleserliche Zeichen

Büchner schrieb die Handschriften als Entwürfe, die nur er selbst, nicht aber andere lesen sollten, und vielleicht war er tatsächlich imstande zu lesen, was er geschrieben hatte. Wir – und unsere Vorgänger seit dem ersten Entzifferungsversuch von 1850 – sind dazu nicht immer imstande. Unser Scheitern teilen wir durch +++, das Zeichen für unleserliche Buchstaben, mit. Daneben gibt es eine Vielzahl von Stellen, wo die Lesungen unsicher sind, was hier nicht angezeigt werden kann. Diese Ausgabe beruht in ihrem Textbestand auf der Studienausgabe von 1999; sie berücksichtigt aber bereits neue Lesungen in einer neuen gerade erschienenen historisch-kritischen Ausgabe.[1] Die Orthographie wurde behutsam modernisiert. Jedoch wurden die Schreibung der Personalpronomina, die Apostrophe und die Zeichensetzung weitgehend bewahrt.

(2) Herkunft des Materials aus verschiedenen Handschriften

Büchner beschrieb zunächst fünf Doppelblätter im Folio-Format (etwas größer als DIN A4), und zwar – wie wir inzwischen wissen[2] – in Straßburg zwischen etwa Ende Juli und Anfang Oktober 1836. Auf den ersten zwei Doppelblättern (und dem Anfang des dritten) notierte er den gesamten Dramenablauf, den Entwurf H 1; auf den folgenden drei Doppelblättern notierte er eine erweiterte Fassung des Dramenanfangs, den Entwurf H 2. In Zürich schrieb er weiter auf Papier im Quartformat (etwas größer als DIN A5), wobei er jeweils zwei Doppelblätter heftartig ineinanderlegte. Die drei derart gelegten »Hefte« bilden die Handschrift H 4, ein einzelnes Quartblatt bezeichnen wir als H 3. H 4 hat eine sichere Lücke zwischen der 2. und der 4. Szene, eine mögliche Lücke zwischen der 9. und der 10. Szene – dies ist zugleich der Übergang von »Heft« 2 zu »Heft« 3 –, und sie bricht ab nach Szene 17, der Testamentsszene. Auf dem Quartblatt befinden sich die Szenen 10 (»Hof des Professors«) und 27 (»Der Idiot. Das Kind. Woyzeck.«). Die Folioblätter sind weitgehend

1 Georg Büchner, *Sämtliche Werke und Schriften*, Bd. 7: *Woyzeck*, Teilband 1: *Text*, hrsg. von Burghard Dedner und Gerald Funk unter Mitarb. von Per Röcken, Teilband 2: *Text, Editionsbericht, Dokumente und Erläuterungen*, hrsg. von Burghard Dedner unter Mitarb. von Arnd Beise, Ingrid Rehme, Eva-Maria Vering und Manfred Wenzel, Darmstadt 2005.

2 Vgl. ebd., Teilband 2, S. 88–101.

erste Entwürfe, die erste Hälfte von H 4 (H 4,1 und 2, H 4,4 und 5) hat fast die Qualität einer Reinschrift, das dritte Quartheft (hier Szene 11–18) und Szene 10 (Quartblatt) sind wiederum flüchtig und entwurfhaft geschrieben. Die Szenen, die wir hier als Lesefassung in eine Reihe stellen, weisen also ganz unterschiedliche Reifegrade auf und beruhen zum Teil auf unterschiedlichen inhaltlichen Konzeptionen.

Wir markieren die Herkunft des Materials durch zwei unterschiedliche Schriftarten:

- Text in Antiqua stammt aus der Handschrift H 4;
- Text in Grotesk stammt aus den anderen Handschriften.

Außerdem geben wir in jedem Szenenkopf an, aus welcher Handschrift die jeweilige Szene stammt. Dabei gilt im Einzelnen: Szene 3 ist montiert aus Material der Foliohandschriften H 1 und H 2; Szene 9 (zweiter Teil) stammt aus H 2; Szene 10 stammt aus H 3; die Szenen 19–26 bilden das Ende von H 1, dem ersten Entwurf; Szene 27 steht auf der Rückseite des Quartblattes H 3 und wurde vermutlich sehr spät verfasst. Die Hauptfiguren des Dramas hießen in H 1 noch Louis und Margreth; deshalb erscheint zum Beispiel der Name Woyzeck in den Szenen 19–26 in der für H 4 gewählten Drucktype.

(3) Anordnung der Szenen

Wir folgen bei der Anordnung der Szenen der Reihenfolge zunächst in H 4, dann in H 1 und füllen die Lücken, so gut wir können. Nach Szene H 4,2 (2. Szene) ließ Büchner selbst die Lücke, die wir hier auffüllen. Nach Szene H 4,9 (9. Szene) ließ er wahrscheinlich wieder eine Lücke; die Auffüllung, die wir hier vornehmen, ist ein Notbehelf, denn in ihr reagiert Woyzeck, als ihn der Hauptmann höhnisch auf Maries Untreue aufmerksam macht, konsterniert, was der Stufe H 2 entspricht, aber zu H 4 nicht mehr passt. Der Anschluss von der Testamentsszene (18. Szene und das Ende von H 4) zu der Szene, in der Woyzeck Marie scheinbar für einen Spaziergang abholt (19. Szene), scheint schlüssig. Ebenso folgt die Szene H 3,2 (27. Szene), in der der »Narr« seinen Spruch »der is ins Wasser gefallen« wiederholt, gut auf die 25. Szene, in der Woyzeck sich an einem Teich das Blut abgewaschen hat. Diese spät geschriebene Szene ist zugleich ein Beleg dafür, dass Büchner das in H 1 konzipierte Dramenende im Wesentlichen bewahren wollte.

Schwierig ist die Einordnung der Szene H 3,1 »Der Hof des Professors«. Sie wurde in anderen Ausgaben nach unserer Szene 18 – also hinter H 4 – oder aber nach unserer Szene 3 platziert.[3] Das Erste scheint zu spät, denn Woyzeck ist zu diesem Zeitpunkt durch den Gedanken an den Mord absorbiert; das andere scheint zu früh, denn es passt nicht zu Woyzecks Tagesablauf, der mit dem Besuch bei Marie beginnt und ihn über das Rasieren des Hauptmanns zur Urinprobe beim Doktor führt, Tätigkeiten, die tageszeitlich früher liegen müssen als der Unterricht des Professors (und des Doktors) vor versammelten Studenten. Unser Vorschlag platziert die Szene – wenn man an die Handschrift denkt – zwischen dem zweiten und dritten »Heft« von H 4; er ist aber auch dramaturgisch gut vertretbar, wie ich von einem Berliner Regisseur erfuhr. Von ihm stammt diese Idee, und ihm sei dafür gedankt.

(4) Status des Textmaterials

An einer Stelle der Handschrift findet sich eine Summenrechnung, die offenbar mit *Woyzeck* nichts zu tun hat und die wir natürlich nicht wiedergeben; an anderen Stellen

3 Georg Büchner, *Sämtliche Werke und Briefe*, Bd. 1: *Dichtungen und Übersetzungen*. Mit Dokumentationen zur Stoffgeschichte, hrsg. von Werner R. Lehmann, Hamburg 1967; Georg Büchner, *Sämtliche Werke, Briefe und Dokumente in zwei Bänden*, hrsg. von Henri Poschmann unter Mitarb. von Rosemarie Poschmann, Bd. 1: *Dichtungen*, Frankfurt a.M. 1992.

finden sich vorsorglich notierte Eintragungen, die uns heute vor die Frage stellen: Sollen wir sie wiedergeben, und wenn ja, wo?
Unsichere Späteinträge dieser Art sind u. a.:
11,23 Ich halt's nicht aus. Es schauert mich
20,18 f. mentalis partialis
27,1–6 DIE ANDERN IM CHOR: *bis* Das Jagen ist mei Freud.
27,18–20 Das Weib ist heiß, heiß! *bis* er rührt sie an
28,8 f. Hör ich's da noch, sagt's der Wind auch?
An folgenden Stellen notierte Büchner am Rand einen Einfall, der vielleicht nicht – wie bei uns – hinter einen bestehenden Text, sondern an dessen Stelle treten sollte. Alternativvarianten dieser Art sind:
31,15 f. Herr wie dein Leib war rot und wund / So lass mein Herz sein aller Stund. *Dies ist eine Alternativvariante zu* 31,13 f. Leiden sei all mein Gewinst, / Leiden sei mein Gottesdienst.
32,16–18: Warum? / Darum? / Aber warum darum? *Dies ist eine Alternativvariante zu* Was hast zuerst angefangen / Ich kann nit. / Es muss singen.

Leonce und Lena

Aus Briefen geht hervor, dass Büchner mit der Niederschrift von *Leonce und Lena* im Juni 1836 begann, und aus dem Nachruf wissen wir, dass er das Lustspiel »zu Zürich vollendete«. Jedoch ist anzunehmen, dass er kein wirklich druckfertiges, sondern nur ein weitgehend geordnetes Manuskript hinterließ. Karl Gutzkow, Büchners literarischer ›Entdecker‹, publizierte 1838 über zwei Drittel des Textes, den ersten vollständigen Druck veranstaltete Ludwig Büchner 1850 in den *Nachgelassenen Schriften von Georg Büchner.* An Handschriften sind nur wenige Fragmente überliefert. Die beiden Herausgeber veränderten den Text stellenweise teils aus Sorge vor der Zensur, teils nach Gutdünken; die Setzereien passten ihn den gerade geltenden Normen der Rechtschreibung und Zeichensetzung an. Bei Gutzkow (1838) läuft König Peter »fast nackt im Zimmer herum« und fragt: »wo ist mein Hemd, meine Hose?« (vgl. S. 41,11 f.); bei Ludwig Büchner (1850) läuft er »im Zimmer herum« und fragt: »wo sind meine Schuhe, meine Hosen?« Bei Gutzkow sagt der Landrat zum Schulmeister: »Ihr stehet vor die Nüchternheit« (vgl. S. 71,20 f.); bei Ludwig Büchner sagt er: »Ihr steht vor die Nüchternheit«. Der erste Unterschied wirkt sich auf die Figurengestaltung aus, und seine Bedeutung ist offensichtlich. Aber auch das zusätzliche *e* in »stehet«, das zunächst unbedeutend scheinen mag, trägt zum Witz der Szene bei, indem es den Bürokraten aus der Oberschicht sprachlich charakterisiert.

Wie schon die Studienausgabe[4] folgt auch diese Ausgabe von *Leonce und Lena* in der Textgestaltung der Marburger Büchner-Ausgabe.[5] Bei deren Herstellung haben wir die beiden vorliegenden Drucke von 1838 und 1850 Punkt für Punkt auf Abweichungen überprüft und dann entschieden, welche der beiden Varianten den Originaltext am ehesten wiedergibt. Glücklicherweise sind die Szenenabläufe in beiden Drucken gleich, so dass hierbei keine Unsicherheiten bestehen. Die Orthographie wurde behutsam modernisiert. Die Interpunktion folgt jedoch weitgehend der Vorlage.

4 Georg Büchner, *Leonce und Lena. Studienausgabe*, hrsg. von Burghard Dedner und Thomas Michael Mayer, Stuttgart 2003 [u. ö.] (Reclams Universal-Bibliothek, 18248).

5 Georg Büchner, *Sämtliche Werke und Schriften*. Historisch-kritische Ausgabe mit Quellendokumentation und Kommentar, Bd. 6: *Leonce und Lena*, hrsg. von Burghard Dedner unter Mitarb. von Arnd Beise und Eva Maria Vering, Text bearb. von Burghard Dedner und Thomas Michael Mayer, Darmstadt 2003.